Why Malthus Was Wrong and
Why Environmentalists Should Care

LIMITS
脱成長から生まれる自由

Giorgos Kallis
ヨルゴス・カリス［著］
小林 舞＋太田和彦＋田村典江［監訳］
小林正佳［訳］
斎藤幸平＋FEAST［解説］

大月書店

LIMITS

——脱成長から生まれる自由

目　次

日本語版へのまえがき　vii

序章　なぜ限界を問うのか　1

なぜ限界を問うのか　5

第1章　マルサスのどこが間違っているのか　13

マルサス再読　14／人口と欠乏——決して十分ということはない　20／牧師マルサス——成長の使徒　23／成長の名における不平等と自由市場　27／マルサスのどこが間違っているのか　31／マルサス『人口論』のイデオロギー的な働き　40

第2章　経済学——限界なき欠乏　47

近代経済学の寓話　48／相対的希少性と絶対的希少性　52／希少性がリアルになる　57／マルサス的環境保護論の限界　66

第3章　環境保護論の限界　75

ロマンティック・アナキスト対マルサス　76／自己制限　83／環境の限界の問題　89／エコロジカル・

フットプリントとプラネタリー・バウンダリーの問題 104／自然の終焉後の限界 110

第4章　限界の文化 115

貨幣、民主主義、限界の起源 117／自己制限の制度 124／自己を制限する技（アート） 127／限界の形而上学 131／死と限界 135／限界の文化の取り戻し 142

第5章　限界の限界 147

誰を制限するのか 148／何を制限するのか 150／自己制限の政治 153／限界、分かち合い、平等 157／制限と自由 159／自律が他律に変わるとき 161／『所有せざる人々』――サイエンスフィクションを使って限界を考える 168／冒険と限界 172／限界の人類学 175／限界内での暮らし 177／再び、エコロジカルな限界 181／限界のない限界 184

エピローグ――限界の擁護 189

謝辞 199

解説（斎藤幸平＋ＦＥＡＳＴ） 201

凡例

本書は Giorgos Kallis, *Limits: Why Malthus Was Wrong and Why Environmentalists Should Care*, Stanford University Press, 2019. の全訳である。

●本文中の〔 〕は訳者による補足である。

●本文中の［ ］は原著者による、引用文に対する補足である。

●註番号〔1〕〔2〕……で示す脚註は、訳者による註である。

●註番号 1 2……で示す脚注は、原著者による註である。

日本語版へのまえがき

私の本が日本語に翻訳されることはたいへん喜ばしく、わくわくしている。私の想像の中で日本は特別な位置を占めている。あいにくまだ一度も訪れたことがないのだが、いつの日かきっと、私は日本を訪れることだろう。しかし、それまでの間、いつか訪れる日を夢見る旅行者として、遠い国が喚起するファンタジーと、期待の喜びを楽しむことにしたい。

私が日本について知っていることは、私のようなギリシャ生まれスペイン在住の西洋人にとって、メディアや映画、食べ物や文学、あるいは今まで出会って交流した日本の友人たちを通じて知りえたものであり、おそらくは単純化されたカリカチュアだろう。この本の中に、日本の読者に響くものがあると夢見ている。旅行者として日本にもつロマンチックなイメージは、賢明で穏やかな人々の国、願望は控えめで、概して不満もなく、自国の文化や伝統を誇りに思い、共通のものを分かち合い、困難なときに互いに支え合う習慣をもっている、というものである。これはまさに本書で表現しようとしている共同的な自己制限の前向きなビジョンである。このようなビジョンは、無限の成長がもたらしている気候危機や大災害の最前線で必要であるだけでなく、洋の東西を問わず哲学や精神の教えが何世紀にもわたって説いてきた「良き人生」のビジョンでもあると考えている。

さて、私の経験が正しければ、日本や日本人の性格や社会に対するロマンチックな見方も、おそらく部分的には間違っていることだろう。日本は世界の他の地域と同様に（あるいはそれ以上に）近代的であり、飽食と不満足を助長するグローバル化した西洋資本主義のハイパーカルチャーを吸収しつつ同化している。人々は、加速しつづけなければ崩壊してしまう資本主義のドラムの拍子に従ってどんどん速く生きる。本書では、その西洋文明の知的起源や、地球と人間および人間同士の関係に対する特殊な見方を産業資本主義の始まりまでたどり、最初にして今日まで最も著名な資本主義の使徒、そして世界で初めてプロの経済学者となった神父トマス・ロバート・マルサスの視点を通じて再検討している。私たちの伝統文化（日本の、ギリシャの、スペインの、地中海の、西洋の、東洋の、キリスト教の、仏教の、儒教の、イスラーム教の文化）が時代を超えて世代から世代に伝えてきた「限界」に関する知恵をいかに回復し、取り戻せるだろうか。そして、そのような知恵を現代に適応させたうえで、これまでになく優勢で蔓延する消費主義的資本主義のハイパーカルチャーにどうやって立ち向かうか——この2つの問いへのあがきが、本書の根底にはある。さらに難しいのは、民主主義を維持し深化させながら、限界のある文化をどう取り戻すかという問いである。つまり、資本主義があらゆる鎖を断ち切って自ら新しい鎖をつくりだすまでの長きにわたって世界を支配してきた、硬直した階層と専制システムという罠に陥ることなく、伝統文化がもっていた限界の文化を、関連する体制とともにいかに回復させるかという点である。そして最大のハードルはもちろん、資本主義文化とその制度を維持し再生産している不平等な力関係にいかに立ち向かい、打破するかにある。

この本を書いたのは2018年のことで、たった3年しか経っていないのに、今では1世紀も経ってしまったかのように感じられる。新型コロナウイルスのパンデミックとそれがもたらしたすべての死、ロックダウンとそれに伴う社会の変化、そして闇雲な地政学的摩擦と、核兵器をもつ帝国が衝突する危険性の復活。個人的な変化としては、美しい双子の娘をこの世に迎える幸運に恵まれた。彼女たちは賢明にも未熟児として、スペインでパンデミックの第1波が発生するわずか1か月前に生まれてきた。本書は原著の出版時と同じぐらい時宜を得たと信じたい。なぜなら、私たちは資本主義の歴史家であるエリック・ホブズボームなら「限界の時代」と呼ぶであろうような時代に生きていると考えるからだ。私たちは資本主義の拡大が、環境、経済、社会の限界を迎える時代に生きている。しかし、本書で説明しているように、資本主義は限界を知らないシステムであり、たどることができる唯一の道は、気候の崩壊、致命的なパンデミック、戦争といった絶壁にまっすぐ向かうことなのだ。

私たちは、限界の内に暮らす方法を学ぶことができるだろうか。権力を集中的に握っている寡《か》頭《とう》政治的な社会的エリートに立ち向かい、その他大勢の人々が生存するという最低限の要求を満たすために、私たちがつつましく生きる、その権利を主張する集団的な力を見出すことができるだろうか。私の中の悲観主義者は「ノー」と言うが、ここは楽観主義者として「イエス、それは可能だ」と答えたい。社会は常に、特に大災害の時代に、驚くような方法で変化してきた。日本社会が今や何十年も成長せずに生きてきた経験、節制と倹約の伝統、みなさんが培ってきた文化、知恵、コモンズや闘争のすべてが、限界の内側でうまく生きる方法を見つけるために、私たちがともにおこなっている探求に大いに貢献できるだろう。この本がそういった方向への思考を呼び起こすことを願っている。あるいは、そういった思考はあまりにも遠い異国の話だと思われただろうか。もしそうなら、この本が、そんな夢のように遠い異国であるギリシャにいつの日か行ってみたい、とみなさんに思わせるものとなることを願っている。

ヨルゴス・カリス

バルセロナ、2022年3月29日

序章　なぜ限界を問うのか

「限界などないと心得よ」「限界はすべて自分で押しつけたものだ」「あなた自身のみがあなたの限界だ」「懸命にやれば、限界なんてない」「ただ一つ存在する限界は、あなた自身の頭の中にある」「月に人間の足跡があるこの時代、「空が限界だ」[1]などと言わないでくれ」

「限界（limits）」という言葉をインターネットで検索して出てきたいくつかの箴言《しんげん》だ。西洋の文化は、限界を乗り越える夢に心奪われてきた。同時に私たちは、自分の死や、もっと大きく言えば西洋文明の死といった究極的限界に圧倒されてきた。カリフォルニアを「懲《こ》らしめている旱魃」[2]は、その成長エンジンが「自然の限界に反して走って」[1]こなかっ

［1］英語でSky is the limitとは「空が限界だ」、転じて無制限であること、限界は無いさまを意味する慣用語。

［2］カリフォルニア全土において、２０１２年から２０１６年にかけて、観測史上最も重度な旱魃があった。２０１５年当時、生活水の利用を25パーセント減らすことが全住民に強制された。２０２２年現在も、２０１６年以来の厳しい旱魃となっている。

1　Adam Nagourney, Jack Healy, and Nelson D. Schwartz, "California drought tests history of endless growth," *New York Times*, April 4, 2015. 〈www.nytimes.com/2015/04/05/us/california-drought-tests-history-of-endless-growth.html〉.

たかどうか再検討してみるよう州に迫っている、と『ニューヨーク・タイムズ』は語る。「直ちに行動し、地球温暖化を摂氏1・5度以内に制限しなければ文明は危機に瀕する」[2]と国連は警告する。

どのように、なぜ、私たちは限界を今のように考えるようになったのだろう。限界という考えは、経済学から環境論まで現代思想の展開の中でどんな役割を果たしてきたのだろう。社会は限界を必要としているのだろうか。また、もし必要なら、どんな限界だろう。これが、この本で考えてみたい問いである。

この本の中で私は、限界という概念を再び主張し、磨き上げ、擁護するつもりだ。限界を、マルサス主義という学問的戯言《たわごと》、すなわち、1798年に遡《さかのぼ》り、聖職者から経済学者に転じたトマス・ロバート・マルサスが『人口論』に書いて以来限界についての私たちの考えを形づくってきた一連の考え方と決別させたい。この本を読んで、限界の設定を呼びかけている人々に、どのように制限を呼びかけるのが最善なのか見直してほしい。また、制限を批判する人々に、制限を求める私たちをマルサス主義者と呼ぶのを改めてほしい。

2 Eric Holthaus, "U.N. climate report shows civilization is at stake if we don't act now," *The Grist*, October 8, 2018. 〈https://grist.org/article/scientists-calmly-explain-that-civilization-is-at-stake-if-we-dont-act-now/〉.

ここでは、ジュゼッペ・トルナトーレの映画、『1900の伝説』（邦題『海の上のピアニスト』）のイメージから始めてみよう。[3] 映画の主人公「1900」の名前は、彼が生まれた年にちなんで付けられた。その年の正月、外洋航路船の機関室で、機械の横に置かれた箱に産まれたばかりの赤ん坊が発見された。ティム・ロスが演じる主人公1900は、全く船を離れることなく、船の上でピアノ演奏の天分を開花させる。有名なジャズピアニストたちが勝負を挑みにやってくるが、彼はすべてを打ち負かす。音楽プロデューサーがアルバムをつくらないかと持ちかけたとき、乗客の女性への恋に落ちていた1900は船を去ろうと決心する。印象深い一シーン、彼はタラップを半分まで降りかけ、乗組員たちがサヨナラの手を振っている。彼は目の前の都市を見つめ、立ち止まる。それから振り返ってタラップの一番上に目をやり、永久に船に留まろうと決心する。

それから何年も経って、1900が船倉に隠れ、友だちのマックスがそこから出てくるよう説得している。船に穴が開き沈もうとしているのだ。1900は答える。「あの都会……あの都会には終わりが見えない

3　この映画はアレッサンドロ・バリッコの独白小説 *Novecento*（ピアニスト）に触発されている。この映画が限界について考える参考になることを教えてくれたのはジアコモ・ダリサだった。

……僕を引き止めているのは、僕が目にしたものではないんだ、マックス、……僕が見なかったものだ。……大きく広がったあの街には、すべてがある、終わりだけ除いて」。自分が愛する楽器の比喩を使って、1900はこう付け加える。

鍵盤には始まりがあって終わりがある。知っての通り、88個。……鍵盤には限りがある。でも、君には限りがない。あの88個の上で、つくることのできる音楽は無限なんだ。……それなのに、君は、僕をあの通路に立たせ、何百万もキーのある鍵盤を広げさせようとしている……あれには終わりがない、あの鍵盤には限りがない。でも、もしあの鍵盤に限りがないなら、演奏できる音楽なんてなくなってしまう。

時代は、限界の内側で暮らしたいと願う人々にとって難しいものになってきた。飛行機が外洋航路船に取って代わり、1900は船と共に沈む。死という限界は、ギリシャ悲劇の素材ではあってもハリウッドのヒット作のものではない。1900は売上においても沈没した。しかし、私たちは、地球の温暖化に直面し、限界の文化を切実に必要としている。[4]

4　この点に関しては、Richard Seaford, *Ancient Greece and global warming: The benefits of a classical education* (Exeter, UK: Credo House, 2011) を参照いただきたい。

この本は、そうした方向に向けての試みである。

なぜ限界を問うのか

私は環境保護論者で[3]、限界は、環境保護論のまさしく中心的思想である。「限界が戻ってきた」5、いわく、プラネタリー・バウンダリー[4]、長期停滞、ポスト成長、脱成長6。緑の運動[5]を論じる歴史家アンドリュー・ドブソンに言わせると、「まるでグラウンドホッグ・デー[6]のよう」7だ。1970年代のように、人類は破滅しつつあるとマルサス主義環境保護論者たちは予言し、当時ならロナルド・レーガンが果たしたような役割を演じる永遠の楽観主義者たちは、「人間の知性、想像力、驚異に限界などないから、成長に限界はない」8と応じる。

『成長の限界』レポートが世に出たのと同じ1972年に生まれた私には、楽観主義と目される人々と悲観主義と目される人々との間の論争は、すでに種切れになってしまっているように見える。これら対立して

[3] Environmentalist の訳。

5　Andrew Dobson, "Are there limits to limits?" in *The Oxford handbook of environmental political theory*, ed. Teena Gabrielson, Cheryll Hall, John M. Meyer, and David Schlosberg (Oxford: Oxford University Press, 2016), 289.

[4] プラネタリー・バウンダリーは「地球の限界」「惑星限界」とも呼ばれる。スウェーデンにあるストックホルム・レジリエンス・センターのヨハン・ロックストローム博士らが提唱した概念であり、気候変動をはじめ人類が生存できる安全な活動領域を科学的に定義し、その限界点を表している。詳しくは第3章を参照。

6　たとえば、Kate Raworth, *Doughnut economics: Seven ways to think like a 21st-century economist* (White River Junction, VT: Chelsea Green, 2017)

いる見解は、同じコインの両面にすぎない。もしも限界がないなら、終わりなき成長という資本主義の希求は意味をなさない。マルサスや資本主義の初期の司祭たちは、人間の無限の欲望が有限の世界と衝突するという図柄を構築した。限界が成長への努力に拍車をかけるという具合に、欠乏と成長は分かちがたい対《つい》になっている。私の命題は、世界を豊かなものとして受け入れて初めて、欲求を制限し私たちの自由のための安全な空間を画定することに思いめぐらすことが可能になる、というものだ。この観念は直感に反しているように思われるかもしれない。しかし、そう感じるのは、私たちがマルサスの用法における希少性で限界を考えてしまうからだ。本書では、自己制限としての限界という、限界に関する違った見方を展開する。その見方を、ラディカルな緑の党[7]からロマン主義、さらには古典時代にまで跡づけてみよう。

１７９８年のマルサス『人口論』を読み返すことから始め、私は、マルサスが発見したのは自然の限界ではなく、限界をもたない欲望であったことを論じる。マルサスは破滅を警告する預言者であるどころか、成長の追求を刺激し焚《た》きつけることで破滅を呼びかけていた。そのマルサ

〔ケイト・ラワース（黒輪篤嗣訳）『ドーナツ経済学が世界を救う――人類と地球のためのパラダイムシフト』河出書房新社、２０１８年〕; Tim Jackson, *Prosperity without growth: Foundations for the economy of tomorrow* (Abingdon, UK: Routledge, 2017); Johan Rockström and Mattias Klum, *Big world, small planet: Abundance within planetary boundaries* (New Haven: Yale University Press, 2015)〔J・ロックストローム、M・クルム（武内和彦・石井菜穂子監修、谷淳也、森秀行ほか訳）『小さな地球の大きな世界――プラネタリー・バウンダリーと持続可能な開発』丸善出版、２０１８年〕; Giacomo D'Alisa, Federico Demaria, and Giorgos Kallis, *Degrowth: A vocabulary for a new era* (Abingdon, UK: Routledge, 2014); and Robert J. Gordon, *The rise and fall*

スがいかに私たちと共にあるかを見ていくことにしよう。そうなったのは、永遠の欠乏神話に立って永久的な成長を呼び求める近代経済学のせいだった。私は、環境保護論者のある人たちもマルサスのビジョン、すなわち限界をもち欠乏を抱えた世界というビジョンに囚《とら》われていることを論じ、なぜそれが問題なのかを説明する。そして、自分の内側や外側の世界に帰属させているマルサスの意味での限界（克服するか、さもなくば屈服するかどちらかの限界）とはっきり異なる、自分自身に課す、慎重に選び取った限界の確立を求める自己制限の立場を主張する。そこから、自己制限の文化をもった文明としての古典ギリシャに目を転じ、限界を擁護する私自身の論の限界を扱うことにする。小説家の助言に従い、私が知っていることというよりも、自分が興味を惹かれ、もっと知りたいと思っている事柄を書くつもりだ。[9] それから、もっと威勢よく、言い訳がましくない形で、制限を求める希望を擁護して本書を閉じることにしよう。

　私の初めての仕事は、欧州議会で、水質汚染を規制するEUの法律を再検討することだった。その間、規制の必要性を否定する経済議論に煽

of American growth: The US standard of living since the civil war (Princeton: Princeton University Press, 2017)〔ロバート・J・ゴードン（高遠裕子、山岡由美訳）『アメリカ経済　成長の終焉』上下、日経BP社、2018年〕などをご覧いただきたい。

[5] 緑の運動とは、環境問題の改善・解決を求めて展開される社会的、科学的、政治的な運動である。

[6] 北米において2月2日に祝われる。ウッドチャック（リスの一種）が巣穴から出てきて、春の訪れを予言するとされている。

7　Dobson, *Oxford handbook*, 301.

8　ロナルド・レーガン大統領の、1983年9月20日、サウスカロライナ大学卒業式での講演。

[7] 緑の党とは、1970年代に始まる、環境保護、生態系に配慮した社会をめざす政党で、世界各国に存在す

られ環境保護規制を激しく攻撃する、化学業界のロビー活動を直接目撃した。その後大学院に戻って環境経済学を研究し、成長の限界について学んだ。[10] カリフォルニア大学バークレー校で経済学者ディック〔リチャード〕・ノーガードと共に仕事をし、生態学的限界を定義することがいかに難しいかを認識するようになった。限界は常に私たちの意図の関数であるからだ。ディックが書いているように、限界とは何かどこかにあるようなものではない。私たちが互いに、また私たちと相互作用している環境に、否定的影響を及ぼすことを制限することに、それは関わっている。[11] この洞察を、私は本書で展開したい。バークレーの地理学やポリティカル・エコロジーの研究者たちからは、制限という名のもとに永続する暴力や、自然とその限界に関する一見無垢に見える主張の背後に隠された力関係を学んだ。[12]

結局それ以来の私の研究は、限界に関してもっと微妙な差異を明かすことのできるアプローチを展開するため、エコロジー経済学とポリティカル・エコロジーを統合しようという試みだった。私は、自分が求めていたものをギリシャ人の同胞コルネリュウス・カストリアディス〔8〕の論の

るが、ドイツの政党が一番有名だろう。社会福祉の構築、多文化社会の実現、非暴力など総合的な社会構想を提案している。

9　ヴァレリー・シャーウッドとユードラ・ウェルティからの引用をまとめた文。

10　エコロジカル経済学の入門書としては、Giorgos Kallis, *Degrowth* (Newcastle upon Tyne, UK: Agenda, 2018); Herman Daly and Joshua Farley, *Ecological economics: Principles and applications* (Washington, DC: Island Press, 2011)〔ハーマン・E・デイリー、ジョシュア・ファーレイ（佐藤正弘訳）『エコロジー経済学――原理と応用』NTT出版、２０１４年〕; and Joan Martinez-Alier, *Ecological economics: Energy, environment and society* (Hoboken: Wiley-Blackwell, 1991) をご覧いただきたい。

中に発見した。母が寝床で読んでいたのを私が大人になってから再発見した本だった。カストリアディスは、私たちの自由を制約する、私たちが神や自然に帰している限界と、私たちが意識的に自分自身に課す限界を、他律（heteronomy）と自律（autonomy）で区別する。その区別が、本書の核心である。

限界に関する論争は政治的意味合いを含んでいる。成長には限界があるべきだという緑の思想は、万人の生活向上を説く進歩的理想で窒息させられてしまいそうだ。多くの人が地球温暖化の否定や無関心に傾き、他の人々は限界のないテクノロジーや成長に賭けている。彼らは、テクノロジーと成長こそ今日あるものをもたらしてくれた力だと言う。どんな限界にも不寛容な文化の中で、化石燃料とそれが維持している安楽を制限することは不可能であるかに見える。ここでの私の意図は、限界について再考するための知的・政治的空間を開くことだ。

限界を問うことへの私の情熱には、また別の、もっと個人的な要素もある。私は専制政治が倒れ、厳しい禁止令が解かれた後のアテネ〔9〕で成長した。私の両親は、家では厳格な規則をつくらないことを明言していた。

11　Richard Norgaard, "Metaphors we might survive by," *Ecological Economics* 15（1995）: 129–31, 131.

12　ポリティカル・エコロジーについて私は、バークレーでのナンシー・ペルソ、マイケル・ワッツ両者の授業と、両者が主催したグリーン・ガバナンスに関するルースプロジェクト・コロキウムで学んだ。ポリティカル・エコロジーに関する手頃で最善の入門書は、Paul Robbins, *Political ecology: A critical introduction*（Hoboken: Wiley, 2011）である。私は1990年代後半、オックスフォード大学でのエリック・スウィンギダウ、マリア・カイカ、キャレン・バッカーの研究で彼らに会い、一緒に水に関する共同研究をおこなった。Nick Heynen, Maria Kaika, and Erik Swyngedouw, *In the nature of cities: Urban political ecology and the politics of urban metabolism*（London:

私の最初の学校経験は、母親たちと父親たちが自分たちで組織していた反権威主義的な幼稚園だった。成長の過程で私は、いつまでに帰宅しなさいと言われたことはない。しかし、帰宅が遅くなることはなかった。私は飲まないようにと言われなかったし、それで飲んだけれど、飲み過ぎることは滅多になかった。私にとって節度とは、家族や個人のプライドの問題だった。読者は、私がここで個人的真実を普遍化し、それを社会的原則に変える知的偏りの罪を犯していると思われるかもしれない。とはいえ、物事はそれほど単純ではない。私の節度は、1900の船と同じく自分の家でもあるし、牢獄にもなりうる。知らぬまま屈服してきた社会的制限があるし、両親の期待や、自分はどんな人間なのかという自分自身の考えを内面化し、不本意ながら自分の肩に負わせてきた限界もある。人生半ばに身を置く責任ある人間として、私は自分の自己制限のあるものは窮屈であることに気づいている。私は、自分を解放してくれるどの限界を選び取るか、どの限界を人々と共有する生活の一部として受け入れねばならないと決めるか、私あるいは他の誰かが私に課した限界のどれが不当でどれから自由になりたいか、それらを自覚的に決定

Routledge, 2006); Karen Bakker, "Privatizing water, producing scarcity: The Yorkshire drought of 1995," *Economic Geography* 76 (2000): 4-27. 限界と欠乏に関する問いに関して私は、ライラ・メータから多くのことを学んだ。Lyla Mehta, *The limits to scarcity: Contesting the politics of allocation* (Abingdon, UK: Routledge, 2013) をご覧いただきたい。

[8] アテネ大学で政治学、経済学、法学の学位取得後、フランスに渡り、経済学者、心理学者として働きながらヨーロッパを代表する現代哲学者として活躍した。詳しくは第3章を参照。

[9] ギリシャは1967年から1974年まで軍事独裁政権の支配下にあった。

したい。限界という観念に関する私の探検は、自分自身の限界を理解したいという私の探求の本質的な一部なのだ。

私は本書を、限界をもって、あるいは限界なしにいかにこの人生を楽しむかを慎重に教えてくれた父に捧げたい。また、その突然の死が究極的な限界の苦しみをわが家にもち込んだ私の母、マリアに捧げたい。限界なき愛を寄せてくれた妻のアマリアと姉のアイリスに。そして、限界に関する私の言及がその自然な限界に達するとき助けてくれた私の先生たち、友人、同僚たちに。彼らなしに、この本の中で共有されている考えに到達することは決してなかっただろう。

第1章　マルサスのどこが間違っているのか

私はこんな情景を心に思い描く。

ボブは立ち上がって書斎を出て行こうとした。父親がため息をついて言う。「おい、若造、話はまだ終わっておらん」

その後、ボブは身を屈《かが》めて自分の机に向かい、本とノートを前にして考える。「僕はもう若くない」。32歳で、未婚で、牧師の給料で暮らすトマス・ロバート・マルサスは、自尊心が傷ついたのを感じた。父親と一つ屋根の下で暮らし、これまで育てられてきた中で聞かされてきた荒唐無稽な考えをまた聞かされなければならない。父親はルソーが好きだ、それはかまわない。しかし今、アイルランドで革命が起こりつつあるときに、イギリスをフランスに変えようというゴドウィン[1]の戯《ざ》れ言《ごと》をどのように弁護できるだろう。フランスだって? 革命から9年経ち、「恐怖、残酷、悪意、復讐、野心、狂気、愚鈍さの胸糞悪くなるような情熱の発酵で数千年を台無しにしてしまい、最も野蛮な時代の、最も野蛮な国家の汚名を受けようとしているのに」[1]。お父さん、僕の教区に来て、「人間が住める地球上の、同じ広さのどの土地よりたくさんの人間が飢え苦しんでいる」[2]のを見てください。数え切れない子どもを抱えた哀れな魂! 彼らに施《ほどこ》しはいりません。革命も、ゴドウィンのユートピアもいりません。彼らに必要なのは仕事なのです。

ボブはペンをとって書きはじめた。「これから書く文章は、一友人と交わした会話に発している……」

マルサス再読

1798年に発行された『人口の原理に関する一論　ゴドウィン氏、

[1] ウィリアム・ゴドウィンはイギリスの思想家。初め非国教会派の牧師であったが、のちに無神論者となり、無政府主義的な政治・哲学思想を説く。人間理性の啓蒙による理想社会の実現を主張する。主著に『政治的正義に関する研究』(1793年)など。

1 これらは、Robert J. Mayhew, *Malthus: The life and legacies of an untimely prophet* (Cambridge: Harvard University Press, 2014), 66. に収録されたマルサス自身の言葉である。私の想像上の再構成は、メイヒューの本の第3章、特に61~65ページに出てくる情報に基づいている。『人口論』の前書きでマルサスは、議論を交わした友人に触れているが、それが父親であることはよく知られている。

2 Larry Lohmann, "Malthusianism and the terror of scarcity," in *Making threats: Biofears and environmental*

コンドルセ氏、その他諸氏の研究に触れて社会の将来の改善に対する影響を論ず』はたちまち成功を収め、著者トマス・ロバート・マルサスに富と名声と彼自身の家をもたらした。そして、それは、「近代の社会的議論のパラメータを定め、人口、経済、資源、政治を一つの基準枠に収めた」[3]のである。

マルサスは『人口論』を、革命の熱狂に対する反証して執筆した。しかし、今日彼は、ほぼ破滅の預言者として、すなわち、『エコノミスト』編集者の言葉で言うなら「悲劇的な双子の曲線」――人口増加は食料供給の限界づけられた増加を上回るよう決まっており、その結果、飢餓と死という苦難がもたらされる――を予言した人物として知られている。[4]マルサスが予言したのは、人口の増えすぎによって土地が痩《や》せ、荒廃してしまうこと、そして資源の限界と不足、特に食料の不足であったとされている。さらにマルサスは悲観論者であり、科学技術によって無限の成長が可能になったまさにそのときに、成長の限界を予言したと言われている。そして、「マルサス的」という形容詞は、今日、自然資源には限界があり、したがって成長と人口には限界があると信じる人々の

anxieties, ed. Betsy Hartmann, Bano Subramaniam, and Charles Zerner (Lanham, MD: Rowman & Littlefield, 2005), 81-98. で述べられているように、マルサスの言葉は、サリー教区の状況を記述している。

3　Robert J. Mayhew, *New perspectives on Malthus* (Cambridge, UK: Cambridge University Press, 2016), 18.

4　"Malthus, the false prophet," *The Economist*, May 15, 2008. 〈www.economist.com/finance-and-economics/2008/05/15/malthus-the-false-prophet〉.

ためにあるとされている。

しかし、マルサスの議論をこのように読むことに誰もが同意するわけではない。人類学者フランク・エルウェルはマルサスを詳しく研究し、「今日広く知られた文献の中には自称新マルサス主義者や反マルサス主義者がいるが、論争そのものは、マルサスの理論より現代の生態学的状況に焦点が当てられていることが多い」[5]と記している（事実、先の『エコノミスト』の「論説」は、地球温暖化に関するものだった）。『人口論』はその言葉そのものに即して読まれるべきで、マルサス主義者やその批評家たちの言葉は忘れるほうがいいと、エルウェルは力説する。そうすれば、あなたは「終始悲観主義的で陰気な書き手ではなく、実のところテクノロジーの力に健康的な尊敬を抱く、人間社会の将来に関して概ね前向きな、実に生き生きとした」[6]人物を見出すことができるだろう。

私の場合、成長の限界論争を読んでいてマルサスに行き当たった。多くの人と同様に私もまた、彼を人口と資源の限界を憂慮する人物と考えていた。しかし『人口論』を再読し、自分の知識や思い込みから距離を置くと、逆説的にマルサスは人口増加と幸福であることを同一視してい

5 エルウェルが書いた本は絶版になっていて目にすることができなかった。Frank W. Elwell, *A commentary on Malthus' 1798 essay on population as social theory*（Lewiston, NY: Edwin Mellen Press, 2001）. ここでの引用はエルウェルによるオンラインでの抄録からのものである。F. W. Elwell, *Malthus' social theory*, 2001, 〈www.faculty.rsu.edu/~felwell/Theorists/Malthus/Index.htm〉.

6 Elwell, *Malthus' social theory*, 2, 6.

ることに気がついた。マルサスは、「国の幸福は、毎年の食料の増加が毎年制限を受けずに増加した人口に追いつく度合いに依存している」[7]と書いている。マルサスにとって幸せな国家とは、人口が増加している国のことで、その増加が幾何級数的増加により近づくほど良い。したがって、急速に人口が増加している国は、悪いことをしているわけではないし、破滅的なわけでもない。マルサスはヨーロッパの国々を、「産業」によって「過去より増大した人口」[8]をうまく管理してきたという理由で賞賛している。彼は明白に、「産業促進に必要な刺激を排除する傾向をもつゆえに、……人口を抑制する人工的かつ不自然なやり方」[9]を強く非難する。

加えて、マルサスは成長に対する資源の限界の展望を最初に提起した思想家とされているが、しかし、『人口論』の中で彼は、「商品に比して原材料はずっと豊富であり」、「これらに対する需要が、必要に見合う大量の原材料を生み出し損なうことはない」と主張する。「食料に関しても」また、「大地の生産性には何の限界も課されていない。生産量は永久に増加するだろうし、設定されるどんな量より多いだろう」[10]と述べて

7　Thomas Robert Malthus, *An essay on the principle of population, as it affects the future improvement of society with remarks on the speculations of Mr. Godwin, M. Condorcet and other writers* (London: printed for J. Johnson, in St Paul's Church-yard, 1798)〔マルサス（永井義雄訳）『人口論』中央公論新社、２０１９年〕, 92. 私のこの本では初版を用いた。のちの版はより経験的な例に焦点を当てているが、私のここでの主張にとっては重要でないし、私の目的にもっと関連する初版の最後の宗教的な章が削除されている。

8　Malthus, *Essay*, 17.

9　この引用だけは、１８１７年にロンドンでジョンソンによって出版された第５版の３９３ページによる。第５版を出すまでにマルサスは多くの批判に接し、議論にいくつか修正を加えている。第５版に初めて産児制限にはっ

いる。

これではなにか辻褄が合わない。人口過剰の預言者は、人口が増加することを望んだのだろうか。限界の預言者は、限界を信じなかったのだろうか。エルウェルに従い、彼の言葉だと『エコノミスト』が言っていることではなく、マルサス本人の言葉に焦点を当ててみよう。

誤解しないでいただきたい。私の関心は思想史をひっくり返すことではない。私がマルサスに関心を寄せるのは、彼が限界の枠組みを設けたやり方が今でも私たちと共にあるからだ。彼が何をしたのか、なぜそうしたのかを理解することは、私たちがどのように限界を頭に描いているかを理解する端緒を開いてくれる。そしてそれは、もしも私たちが限界について新しい理解を築こうとしているなら、必要な一歩なのだ[11]。

マルサスは何を証明**したかった**のか、から始めてみよう。マルサスの議論は、資源の限界の予言でも人口過剰の予言でもなかった。マルサスは成長の軌道を曲げてほしくなかった。彼はひたすら「所有者階級に必要なものと労働者階級に必要なものを証明する」[12]という目的だけを念頭に置いていた。その命題は、「どんな形式の社会組織も断じて公正で公

きり反対する声明を入れていることは、その件に関する彼の意識的で強い見解の証拠である。

10　この段落の引用はすべて Malthus, *Essay*, 8.

11　私が知るかぎり、ギャレス・デイルはマルサスの書が自然の限界を否定していることを最初に主張した、なおかつこれまで唯一の論である。Gareth Dale, "Adam Smith's green thumb and Malthus's three horsemen: Cautionary tales from classical political economy," *Journal of Economic Issues* 46 (2012): 859-80. をご覧いただきたい。マルサスと欠乏に関してセミナーで発表したのは David Harvey, "Population, resources and the ideology of science," *Economic Geography* 50 (1974): 256-77. である。最近、この本の稿を書き上げた後で私はそれに関連するアンソニー・ガルッツォの文章に遭遇し

平な社会を生み出しえないし保持できない」[13]ということだった。

私と同様にマルサスには知的、政治的、そして個人的動機があった。彼はケンブリッジ大学で学んだ数学と論理を、革命主義者の愚劣さを証明するために使ってみたかった。また、平等な人間からなる社会は論理的に不可能で、それを打ち立てようとする革命主義者は善より多くの害悪を引き起こすと信じていた。マルサスは、教区において無料の食品を提供する福祉システムの原型、救貧法の廃棄を求めていた。さらに、彼の父親が間違っていることを証明し（それは常に強い動機であった）、本が十分売れ、結婚して自分自身の住まいに引っ越しできるほどの収入が得られることを願っていた。これはこれで理解の助けになるが、なぜマルサスが『人口論』を書いたかよりも、いかにそれを論じたかのほうが興味深い。マルサスがどのように限界を構造づけているかを明らかにするのは、彼の伝記ではなく彼の論理である。

た。Anthony Galluzzo, "The singularity in the 1790s: Toward a prehistory of the present with William Godwin and Thomas Malthus," published at b2O, the online community of the boundary 2 editorial collective, 2018, 〈www.boundary2.org/2018/09/galluzzo/〉.

12 Malthus, *Essay*, 92.

13 Elwell, *Malthus's social theory*, 2.

人口と欠乏——決して十分ということはない

マルサスの議論の中核は、その書名にもある「人口の原理」である。その原理とは、単純化して言うなら、私たちが子どもを産む能力は常に子どもの生存の糧《かて》を賄《まかな》う能力を上回っているというものだ。マルサスは人間には2つの欲求、食べ物とセックスへの要求があると論じ、再生産（繁殖）の力は生産の力より「無限に大きい」と述べている。[14]

人間には食べることとセックスが必要で、子どもをつくるほうが子どもに食べさせるより容易であるという事実から、マルサスは、「すべての人間がきちんとした分け前に預かるに十分[15]」な食料は存在しないし、今後も存在しないだろうと結論する。常に、潜在的にはそこにある食料以上の人間がいる。言い換えると、人口に比して常に食料は不足している。これが、マルサス『人口論』の第二原理であり、注目すべき「欠乏の原理」であると、私は考える。欠乏の原理は、第一の原理、人口の原

14　Malthus, *Essay*, 4.

15　Malthus, *Essay*, 24.

理から直接派生する。もしも人間の数が、潜在的には、常に彼らが生産できる食料の量より多いなら、必ず食料は欠乏する。今も、いつでも、どこでも、不足する。私たちの再生産能力には限界がないのだから、自然の恵みは不足する。マルサスは、私たちの身体が必要とするものは無制限にあるため、世界には自ずから限界があると考えた。このような自然観は、現代の経済学や環境保護主義の根幹をなすものである。

そして貧困は欠乏の現れであると、マルサスは説明する。貧乏人というのは分け前が残されていない余剰であり、したがって教区の援助に群がる。マルサスは、数学的な論理によって、第一の原理から貧困の必然性を証明したと信じた。貧困は性欲と空腹から自然に派生するとマルサスは論じる。これは自然の法則であり、貧困を消し去ろうとする革命的野心は科学に反している。

マルサスにとって自然は摂理であり、食料の範囲内に人間の数を抑制する。再生産に何の抑制も受けないなら、生物はどんな種であれすぐに地表を覆い尽くすだろう。こうしたことが起こらないという事実は、捕食者か、病気か、あるいは食料の不足か何かが人口を潜在的可能性より低く抑えていることを例証している。人間は捕食者から身を守ってきた。それでもなお、その数は抑制されてきている。マルサスは、すでに働いている人口増加の抑制を「積極的抑制」と呼ぶ。飢餓、飢饉、嬰児《えいじ》殺しや若死に、戦争、病気など、何であれ人間がどれくらい生きるかを短縮させてきたものは積極的抑制である。これに対し「予防的抑制」は、理性が介入し、事前に子孫の数を抑制するものを言う。それは積極的抑制より好ましいわけではない。彼は実際の体験に基づいて、性的禁欲を実践する者は苦しみを受けると書いている。彼は38歳で結婚するまで独身だった。また、セックスをしながら子をもうけない者は、道徳を堕落させ、性交渉によって伝染する病気の原因となる悪徳の犠牲者であるとも語っている。ゴドウィンのような社会主義者に反対して、この地上に天国は決して来ないとマルサスは結論づける。人口抑制は不可避であり、過酷な苦痛を伴う。

では、どうしたらよいのか。

牧師マルサス――成長の使徒

マルサスについての一般の理解からすると逆説的なことに、この悲劇を脱するため彼が描く唯一の仮説は経済成長だった。

国の生産を増大させよ、……そうすれば、人口の幾何級数的増加を享受することに何の懸念を抱く必要もなくなる。他のやり方でこの目的を達成しようとするいかなる試みも、悪辣《あくらつ》、残酷、暴虐的であり、したがって、相応の自由が許されたいかなる国家においても成功することができない。[16]

限界の預言者という偶像化された姿に反して、マルサスは実は成長の預言者だった。[17] 人口増加は制限されなければならないとは主張しなかったし、食料生産にどんな自然的限界も見出していなかった。彼は、人口増加は生産される食料の量によって制限を受けると主張したが、食料生産の成長には限界がないとも主張している。幸せな国家とは何の抑制も

16　Malthus, *Essay*, 42.

17　Dale, "Adam Smith's green thumb."

受けずに人口が増加する場所だとするなら、人々がさらに幸せになる唯一の道は食料生産を増加させることである。抑止が全く不可避なものでなくなるということは決してないにせよ、すべての人間にとって人生はほんの少し良きものとなるだろう。

新マルサス主義者は、なぜマルサスが産児制限に反対したのか、なぜ彼の同時代人デヴィッド・リカードのように農業における収穫逓減《ていげん》を援用しなかったのか、理解するのに苦慮してきた。そうした議論を、彼は自分の主張を強めるために使えたのではなかろうか。[18] しかし、マルサスの専門家たちは、マルサスは現代の新マルサス主義者ではないこと、彼の議論はそれと大いに違っていたことを思い起こさせてくれる。[19] マルサスは、悲惨さを軽減する唯一の道は、もっとたくさん食料をつくることだと主張したのだ。マルサスは限界の主唱者だったわけではなく、不平等を正当化し成長を促すために、限界という恐怖を呼び覚ました人物だった。ある研究者が指摘するように、「広く流布した彼のステレオタイプとは全く対照的に、マルサスは、「その自然な秩序に従うとき」、人口増加は社会的利益、個人的利益を導くものであるとして歓迎した。ここ

18 Garrett Hardin, *Living within limits: Ecology, economics, and population taboos* (Oxford: Oxford University Press, 1993), 98. をご覧いただきたい。

19 前述のエルウェルとメイヒューの論をご覧いただきたい。

で自然な秩序というのは、「農業の永久的な増加があった場合」という意味である」[20]。

実際、成長を抜きにしてマルサスの理論は決して意味をなさない。フリードリヒ・エンゲルスはのちに、もしもマルサスが正しいとしたら「地球は、たった1人しか人間がいないときもすでに人口過剰だったことになる」[21]と揶揄《やゆ》している。アダムとイヴは、彼らが食料を提供できる以上の子どもをつくっていただろう。奇妙にも、**実際**これは、マルサスの論点だった。しかし違いが一つあって、マルサスの物語は、生産面での増加を許していた。マルサスは、「生存手段に対する人口の力の優位がなければ、世界には人が住むことはなかっただろう」と書いている。これは逆説のように見えるが、彼が意味しているのはまさしく、人口の原理がもたらす脅威ゆえに、（いわば）アダムとイヴは家族を養うため働いて、もっとたくさん食べ物を生産しなければならなかったということだった。「産業の基礎をなすのは、この自然の法則の恒久性」[22]である。「この世界に悪が存在するのは、絶望を生み出すためではなく活動を生み出すためである」と、彼は説明した[23]。希少性と生産性は手を取り合っ

20　Mayhew, *Malthus*, 121.

21　Roland L. Meek, *Marx and Engels on Malthus* (London: Lawrence and Wishart, 1953)〔R・L・ミーク編著（大島清、時永淑訳）『マルクス＝エンゲルス　マルサス批判』法政大学出版局、1955年〕, 59. の中での引用。

22　Malthus, *Essay*, 114.

23　Malthus, *Essay*, 124.

て進む。

抑止によってもたらされる苦しみは、次の瞬間に私たちを労働へと駆り立てて、より多くを生産させ、然《しか》るのち私たちが自分たちの数を増やすことを許す（潜在的な幾何級数的割合でではないが、どうにか増加させる）。地上に人間が生息するのを可能にし「拡大した人口を支える」ための労働は、必要性という鞭《むち》がなければ、つまり、人口の原理からの絶え間ない圧力がなければおこなわれないだろう。[24] 格言にあるように、必要は発明の母なのである。「ヨーロッパの多くの部分に以前よりたくさん人が住んでいる理由は、住民の勤勉さがこれらの国々に、より大量の人間の生計手段をもたらしたからだ」[25]と、マルサスは書いている。

悲劇と成長は循環を成して変化するとマルサスは主張した。[26] 人口は周期的に増えたり減ったりするが、長い目で見れば、人口は食料生産に応じて増加する。より多くの食料を生産するとき、私たちはより多くの子どもをもつ。ある時点で私たちの数が入手可能な食料供給を上回ると抑制が働き、主に貧乏人が影響を受ける。マルサスの定義によるなら、余分なものに属し、食料をもらえない人々である。しかしながら、食料の

24 Malthus, *Essay*, 47.
25 Malthus, *Essay*, 17.
26 Malthus, *Essay*, 9–10.

高い値段と数が多くなりすぎた貧乏人の低い賃金が均衡を回復させ、人々をさらに勤勉にし、生産性を高めて食料生産を増やし、新たな拡張のサイクルを開始させる。

成長の名における不平等と自由市場

貧乏人を助けることは彼らの苦しみを軽減する。しかし、苦しみは神が私たちを勤勉にするための手段であるゆえに必要なのだと、マルサスは論じる。苦しみがなければ、私たちは働かないだろう。貧しい人にタダで食べ物を与えることは、彼らにも「私たち」にも何もいいことをもたらさない。そうすれば彼らはもっとたくさん子どもをつくり、それは彼ら自身の利害に反する。貧乏人に施すことは、また、公正でもない。もしも貧乏人が生産を増やすことなく多くの食料を手にすれば、この「大きな取り分を受け取ることで、必ず他の人々の取り分が少なくなる」[27]。私たちは最大多数の最大幸福を心にとめるべきだとマルサスは指摘する。

27　Malthus, *Essay*, 25.

マルサスが政治的批判の的とした救貧法は、貧乏人も含めすべての人の暮らしを悪くする。それは、貧乏人に、働いていないのに余暇をもたらす。余暇は「勤勉の精神」を殺し、節約し貯蓄しようという意志を減退させる。貧乏人は必要なものを世話してもらえるからだ。貧乏人を助けることは、自滅的結果をもたらす。食料の供給が増えずに収入が増えれば、貧乏人だけでなくすべての人にとって食料の値段が上がるからだ。[28]

マルサスはここで、のちに経済学者たちが磨きをかけることになる議論を物語っている。一つは、再分配は自由市場の均衡を妨げるという議論である。救貧法によってもたらされる造られた安全保障は、人口が減少しているときに「労働賃金が上がるのを阻む働きをし」、人々を必要以上に貧しいままにすると、マルサスは主張する。その後人口が増加しても、「低賃金をさらに長く維持させる」。それは、労働賃金を上げると、増加する人口の需要に見合った食料生産の増加を阻むからだ。[29] かくしてマルサスが提案するのは、「人口増加それ自体を土地の生産性の増大と結びつける試み」[30]である。貧困に対する救援は人々を無料の食べ物を提供する教区につなぎ止め、彼らが移住して職を探すのを封じてしまう。

28　Malthus, *Essay*, 25–27.

29　Malthus, *Essay*, 11.

30　Elwell, *Malthus' social theory*, 14.

マルサスはその代わり、「現在の教区法を全面的に破棄し」、「イギリスの農夫に行動の自由を与え、より多くの働く機会があり高い労働賃金を期待できるところに邪魔が入ることなく居住できるようにする」ことを提案する。「そのとき労働市場は自由になり、現在見られるような、しばしば長期間にわたって需要に見合った賃金上昇を阻んでいるような障害が取り除かれるだろう」[31]。『人口論』は、自由市場と成長の名において再分配と福祉を否定した最初の主張と見なされてよい。

ゴドウィンが『政治的正義に関する研究』（1793年）で記述したような平等な社会の不可能性を例証するため、マルサスは一つの寓話を語っている。彼は読者に、財産も不平等もない社会を想像してみようと呼びかける。それに続くのは、ジョン・レノンが描くユートピアではない。生存の安全が確保されると、人々は欲しいだけたくさん子どもをつくりはじめるだろう。人口は食料より早く増加し、各人に入手可能な割り当ては次第に少なくなる。ある人々は、平等であるぶん前より少ない食料で生きなければならないだろう。幸運にも収穫が多かった人々は、運が悪かった人から自分の食べ物を守ろうとするだろう。略奪者から穀物を

31　Malthus, *Essay*, 30.

守るため、運が良い者によって私有財産制が発明されるだろう。ひとたび有産階級と、労働力以外に売るもののない無産階級とが存在することとなれば、後者が前者のために働くことを禁止することは非人間的で暴虐的なことである。「現在の文明化された国家に行きわたっているのとさほど違わない財産の管理方法が確立されるだろう」とマルサスは結論づける。[32]ゴドウィンが描く平等な人間の社会は「ほんの束の間続き、……現在の……財産をもった階級と労働者の階級に分割された社会……と本質的に変わらない図式の上に構築された社会に堕落していくだろう」[33]。

不平等は避けられないが、しかし悪いことではないと、マルサスはなおも主張する。不平等は成長のためのエンジンなのだ。私たちは、中産階級だけの社会をつくることはできない、なぜなら、

社会の中で一番端の部分をある一定程度以下まで減らすことはできない。そうすると、中間の部分の労苦を活気づけていたものが減ってしまう。もし誰もが社会の中で上昇を願ったり没落を恐れたりしなくてよかったとしたら、また、もしも勤勉さが報酬をもたらし安逸が罰をもたらすことがなかったら、中間の部分は確実に今あるよ

32 Malthus, *Essay*, 62.
33 Malthus, *Essay*, 64-65. マルサスがここでの思考実験で思い浮かべていたのはおそらくアメリカだっただろう。のちの版では、そこから経験的な例を引き出している。Alison Bashford and Joyce E. Chaplin, *The new worlds of Thomas Robert Malthus: Rereading the principle of population* (Princeton: Princeton University Press, 2016) をご覧いただきたい。しかし私は、マルサスが奴隷制と植民地主義に反対しようと思っていたというバシュフォードとチャプリンの論には同意しない。もしも私の解釈が正しければ、最もありうるのは、彼は、より好都合な環境条件が整っていたアメリカにおいてさえ人口の法則は平等を不可能にし、アメリカ革命はイギリスの体制とそれほど違わない体制をもたらしたということを証明したかったのだろう。

うな形にはならなかっただろう。[34]

マルサスのどこが間違っているのか

経済学者たちは、時代の流れを見通せなかったがゆえにマルサスは間違っていたと言う。『エコノミスト』によれば、「マルサスは偽りの預言者だった」。

彼は間違いなく前産業社会を正確に描いている、（しかし、）イギリスですでに始まっていた産業革命は、経済成長の長期的見通しを一変させていた。経済は人口より速く拡張しはじめ、生活水準の持続的な改善をもたらしていた。[35]

人口は落ち込まず、食料の入手可能性は人口増加より速く増大した。マルサスはテクノロジーを過小評価していた。ロナルド・レーガンや彼のスピーチライターが言うように、人間の「知性、想像力、驚異」を過小評価していたのである。『エコノミスト』はこう結論づける。教訓は

34　Bashford and Chaplin, *New worlds*, 116.

35　"Malthus, the false prophet."

明らかだ。今日化石燃料の使用と温室効果ガス排出の制限を声高に唱える人もまた、偽りの預言者である。テクノロジーが務めを果たすだろうから、制限など必要ない。

しかし、私が示してきたように、マルサスは人口や資源の制限を求めたわけではなかった。また、成長の見通しに疑問を呈したわけでもない。彼の目的は、すべての者に行きわたるほど十分にはないことの証明であり、成長に限界があることの証明ではなかったのである。私たちが今日理解しているような意味での成長という考えは、マルサスから1世紀後に発明された。彼の時代には、福祉、生産、人口といった概念が混同されていた。マルサスと同時代の多くの人々にとって、経済成長とは人口の増加であり、農業生産の成長であった。そしてマルサスは、長期的には、規律と勤勉さとより多くの食料があれば、人口は限界なく増加することができるという点で楽観的だった。

確かに、マルサスが書いている周期は、長期的には人間一人当たり入手できる食料の量は安定していることを示唆していて、もしもっと多くの食料が生産されたら人口はそれに追いついていくだろうということだ。

これは、急を告げる悲観主義的予言ではない。また、マルサスも、そういうものとしてこれを提示したわけではない。食べ物を口にすることでますます増加する人口は、国家が熱望できる最善のものだった。アダム・スミスを引用し、彼は安定した食料供給とともに、国家はまた機械生産や他の富を増大させることができると予測していた。

では、「人口は、もしも抑制されなければ幾何級数的に増加する。生活物資は算術級数的に増加する」という彼の有名な主張をどう意味づければよいだろう（幾何級数的とは、1、2、4、8、16、32、64、128、というふうに増加すること、算術級数的とは1、2、3、4、5、6、というふうに増加すること）。これは人口過剰と空腹の予言ではなかっただろうか。

そうではない。なぜなら、それは予測を意図していないからだ。マルサスは単に、2つの力の間の潜在的相違を例証しているにすぎない。もしも食料が算術的に増加しただけなら、マルサスが本を書いているときまでに増産は静止状態の地点、ほぼゼロ成長に達していただろう（たとえば、100万から100万1へ）。しかし、マルサスはこうした事態を頭に描いていたわけではない。彼の言う算術級数的な例と異なり、『人口論』には、限定的ではあるが食料生産が継続的に成長することを明確に予見している箇所がいくつもあるのである。

　マルサスが言っていることは、人口は幾何級数的に**増加する**ということではなく、もしも抑制がなければ**潜在的にそうなりうる**ということだ。もしそのように増加していないとしたら、それは抑制が働いているからに他ならない。論理的に言って、人口は、環境が提供できる水準に留まっていなければならない。このことは、少なくともマルサスにとって、もっとたくさん生産できるよう人口が環境を形づくることはできないという意味ではない。人口は食料より速く増加できないが、しかし食料は（抑制を受けた）人口より速く増産できる。エルウェルによると、マルサスの命題は、人口の増加は食料生産の増加の割合に縛られているか、**あるいはそれ以下である**、ということだった。マルサスの時代以来一人当たりの食料は増加してきたが、その事実はマルサスが間違っていたことを証明するわけではないとエルウェルは論じる。マルサスが予測したのは、人口が一定の長期間その**自然な**割合で増加することは決してないということだ。自然の割合で増加したら、人口の増加は食料生産の増加よりうんと速い。エルウェルは次のように言う。もしマルサスの予測が間違っているとしたら、「『人口論』が書かれた時代の人口を10億人、抑制がない場合に人口が25年で2倍になるとすると、今日の人口は2560億人になる[36]」。現在それほどたくさんいないということは、人口に対する抑制があったわけで、マルサスの予測は正しかった。

食料と人口に関する予測でマルサスが間違っていなかったとすれば、出生率の低下を予測しなかったから間違っていたということはないのだろうか。

『人口論』の中でマルサスは、結婚を遅らせ、財政能力に見合った数に子どもを調整したイギリス人同輩に言及している。これが、なぜ彼が救貧法の破棄に賛成だったかの理由であり、貧乏人もそうすべきだと言うのだ。マルサスは産児制限のことを知っていて、なおかつそれに反対だった。しかしマルサスは、国がもっと「文明化」されるにつれて、予防的抑制が積極的抑制に取って代わり、出生率は低下するだろうと予測していた。

それでは、マルサスは正しかったのだろうか。

36　Elwell, *Malthus' social theory*, 7.

マルサスは人口統計学者だったわけではなく、牧師であり、階級のない社会は不可能であると論じる哲学者だったことを思い起こしてほしい。もしも予防的抑制が人口増加をコントロールするか、あるいは人口より速く食料を生産することが可能だとしたら、マルサスはどのように平等に反対する議論を維持することができただろう。このような条件下では、誰もがきちんと分け前を得られるだけの食料があると言うのが妥当ではないだろうか？

その通りだ。しかしマルサスは、それを不幸な成り行きだろうと強調している。マルサスが認めようとしなかったのは、人間の数を制限できるということではない。彼が拒否したのは、人間の数を制限し、**なおかつ幸福である**、ということだった。マルサスに言わせると、予防的抑制は残酷なものだった。彼が言うには、「悲惨や悪といった類のこととして記述できない人口抑制を思い浮かべることは難しい」[37]。フランスの哲学者コンドルセが、人間が数を制限することと性的本能を満たすことの両立は可能であると主張したことを批判して、マルサスは、それはできるだろうが、しかし、「繁殖を防ぐ乱れた内縁関係や、何か他の**不自然**

37 Malthus, *Essay*, 34.

なもの」[38]といった悪の手を借りることによってのみ可能だろうと応じている。

言い換えれば、彼は予防的抑制を不自然なものと見ていた。

マルサスの自然あるいは不自然という言葉は何を意味していたのか。マルサスが築いた世界を理解したいなら、これは決定的に重要な問いである。マルサスは聖職者だった。自然をつくったのは神なのだから、彼にとって「自然」とは神が欲しているものを意味していた。そして神は、人間が地に満ちることを望んでいる（これゆえに、「自然な」、幾何級数的な人口増加の割合がある）。子をなさないセックスは神の意志に反し、したがって不自然である。『創世記』の中で神は、のんびり座って果実を楽しむのではなく、「産めよ、増えよ、地を満たせ、地を従わせよ」と告げている。マルサスが言うには、神は用心深く、人々が自然に神の命令に従うよう定めた。悪徳に代わる唯一の道徳的な選択は禁欲だが、それは悲劇をもたらす。また私たちなら「楽しみのセックス」と呼ぶであろうようなものは、マルサスにとって不道徳的行為であり、「悪」である。またこれは、病気の原因となり、不幸の総量を増加させる。

38　Malthus, *Essay*, 48. 強調は引用者。

今や私たちは、産児制限に対する彼の反対をよりよく意味づけることができる。もしも入手可能な資源の限界内に人口数を保っておくことに関心をもっていたのなら、彼は避妊を呼びかけるか、あるいは暗黙のうちにそれを承認しただろう。ところがそうはせず、そうしようとする同時代人たちの申し立てを無視した[39]。現代の避妊法が発明される以前にも人々は子どもをつくらずにセックスできなかったわけではないし、マルサスが無害な産児制限の方法を知らなかったわけでもない。彼が『人口論』の中で言及している情婦や売春婦たちに数え切れないほど子どもがいたわけではない。子どもをつくる余裕のない夫婦も子どもをつくらなかったし、婚外の情事でいつも子どもができたわけではない。そんな夫婦も情事も、マルサスが身を置く階層では普通に見られたことだった。産児制限や楽しみのためのセックスに反対するとき、マルサスは牧師の衣と経済学者の帽子を両方まとっていた。彼は、地を人々で満たすため必要な勤勉さへの刺激を損なうものとして、産児制限を拒否した。神は、私たちが働き、この地に満つることを望んでおられる。

マルサスの論理的な議論は、幾何級数的に人間が大地を満たしていく

39　Donald Winch, *Malthus* (Oxford: Oxford University Press, 1987).

ことは私たちにとって自然であり、また神の意に沿うことであって、それ以下に私たちの数を制限することは不自然で、したがって神の意に沿わないという神学的前提の上に打ち立てられている。そのモデルの結論は、前提のうちに組み込まれている。すなわち、世界には限界があり、分かち合うことができない、なぜなら神が限界のない拡張を命じているからだ。私たちは苦しみを伴わずに自分自身を制限することができない。しかし、苦しみは神の摂理の一部である。神は私たちが苦しむことを望んでおられる、なぜなら、苦しみを減らすという動機がなければ私たちは働いて地を満たそうとしないからだ。

私はこのように結論づける。マルサスの間違いは、彼がテクノロジーや成長を過小評価した点ではない。彼は過小評価していなかった。マルサスの間違いは、私たちが自分たちの数を制限できることに彼が目を向けなかった点ではない。彼はそれに目を向けていた。ただしそれを、不自然で、非道徳的で、惨めなことだと考えていた。マルサスが間違っていたのは、私たちは自らの数を制限し、なおかつ幸せでいられる、という考えを彼が受け入れようとしなかった点だ。つまり、私たちはたくさんの子どもをつくることなく、しかもそのことで不道徳的にも不自然にもならずにセックスし、楽しみ、人生を謳歌することができるという考えを、彼が受け入れようとしなかったことが彼の間違いなのだ。彼は、女性も、子どもをつくることなく、売春婦になることなく、こっそりとではなく、結果として誰に苦しみを与えることもなく自由な性的関係をもてるという将来を想像できなかった。断じて彼は、これを認めたくなかった。なぜなら、もしも認めたら、全員にきちんと行きわたるだけ十分なものがあることも認めなければならなくなるからだ。

マルサス『人口論』のイデオロギー的な働き

マルサスが『人口論』を書く前の数十年間に、イギリスの人口は減少していた。[40] シルヴィア・フェデリッチによると、人口減少は伝染病、戦争、疫病の結果だけではなく、女性たちが無言のうちに自分自身の身体のコントロールを主張し、男性と教会に反抗した結果でもあった。[41] 低い

40 Robert L. Heilbroner, *The worldly philosophers: The lives, times and ideas of the great economic thinkers* (New York: Simon & Schuster, 1999)〔ロバート・L・ハイルブローナー(八木甫ほか訳)『入門経済思想史 世俗の思想家たち』筑摩書房、2001年〕.

41 Silvia Federici, "The devaluation of women's labor," in *Eco-sufficiency and global justice: Women write political ecology*, ed. Ariel Shalleh (London: Pluto Press, 2009).

人口増加率は労働コストを高止まりさせ、初期の資本主義を制限することになった。フェデリッチの研究が記録に留めているように、子どものいない女性に非難を浴びせかけたナタリスト（産児増加主義者）的な国家政策と魔女狩りは、教会とエリートによる女性差別的な反撃の一環だった。人口増加を唱えたのはマルサスだけではなかった。ケンブリッジ大学でマルサスの指導教師だった著名な神学者ウィリアム・ペイリーは、マルサスの『人口論』出版に先立つ8年前の1790年、「人口の減少は国家が苦汁を嘗《な》める最大の悪であり、その改善が……他のあらゆる政治的目的よりも優先的にめざされる……べきである」[42]と書いている。

初期の資本主義は働き手の増加を必要とし、プロテスタントの勤勉の倫理を要請した。神が望まれるであろうことと工場主が望むことを融合させた物語《ナラティヴ》を、マルサスは提供した。そして彼は、キリスト教徒として貧しい人々に配慮していると言いながらも、貧困に対処する最善の方法は何もしないことだという考えを擁護したのである[43]。教区の中の大勢の大衆も、囲い込まれた土地を追い出されたゆえにそこにいるのではなく、あまりに多くの子どもを抱えているがゆえのことだ。

42　Heilbroner, *Worldly philosophers*, 76. の中での引用。

43　Harvey, "Population," 260.

マルサスのどこが間違っているのかという問いには、さらに検討すべき政治的意味が内包されている。マルサスはテクノロジーと成長に対する私たちの能力を予見しなかったゆえに間違っていると主張する人々は、マルサス自身の議論の枠組みによって正当化される考え方を再生産している。マルサスは、成長を正当化するために、限られた世界を想像していたのだ。彼は資源については限界を想定しなかったが、際限のない私たちの欲求を満足させることには永遠の限界を見ていた。マルサスの懸念に対し、ミルも、ケインズも、あるいはマルクスやエンゲルスさえ、もっとたくさん生産するだろうから将来すべての人々に十分のものが行きわたるだろうという予見で応えた。ひょっとしてマルサスは正しく、社会主義は貧困を撲滅できずそれを普遍化するだけではないかという懸念に対し、エンゲルスは、「今は生産されるものがあまりに少なく、それがすべての原因となっている」と論じている。[44] ミルが描く定常状態、マルクスとエンゲルスが描く生産力の改善、あるいはのちのケインズが描く脱工業化社会、つまり、何十年にもわたる成長によって孫の世代は毎週数時間しか働かなくていいことになるだろうというビジョンは、い

44 Friedrich Engels, "The myth of overpopulation," reprinted in Meek, *Marx and Engels on Malthus* の *Outlines of a critique of political economy* より〔フリードリヒ・エンゲルス「国民経済学批判大綱」『マルクス＝エンゲルス全集 第1巻』大月書店、1959年〕。

ずれも、生産を増やすことによって欠乏を克服し、その恵みを分配して誰もが十分に手に入れることができるようになるという点で共通している。

しかし、ニコラス・ゼノスが言うように、「経済力がそれ自身を乗り越えていくのを拠り所とすることで、ケインズも、マルクスも、その前のミルも、ゴドーを待っている[2][45]」。欠乏を超越していくとされるテクノロジーの力は、生産と並んで欲求を増大させ、すべての者に十分という事態にはならないし、決してそんな事態は訪れないだろうことを保証する。尊厳ある生と、尊厳ある死のために、今日の平均的人間はマルサスの時代の王族にさえ想像が及ばないほどの資源を動員しなければならない。成長に焦点を当てることは、欠乏の神話を受け入れることであり、そのことは欠乏に立ち向かうことができるのは自分たちだけであると位置づける支配的な制度にとって正当なメタナラティヴとなるのである。その制度を批判することはできても、しかしそうした批判は、「社会的必要性が機能してもたらされるはずのある時点、常に将来の時間の一点に立っていて、したがって、将来を可能にするのが現在の制度である以

[2]　サミュエル・ベケットの劇『ゴドーを待ちながら』では、劇中、ずっとやってくることのないゴドーという人物を、2人の登場人物がひたすら待ちつづける。

45　Nicholas Xenos, "Liberalism and the postulate of scarcity," *Political Theory* 15 (1987): 225-43, 239.

上、異なる将来を仮定しながら奇妙なことに結局、希少性に基づく制度を是認することになってしまう」[46]。マルクスとエンゲルス、ミルとケインズを同じ籠《かご》の中に放り込むことはできないが、しかし、彼らがマルサスの言葉を（意図せずして）受け入れたことは、多様な知的・政治的潮流の間のコンセンサスを説明するうえで、大きな意味をもつかもしれない。皆、制限には反対なのだ。

マルサスの世界は今なお私たちと共にある。それは限界をもった世界、欠乏の世界であり、その中で限界をもたない人間の欲求が、欲求の果てしなさと決して肩を並べることができない環境に向かい合っている。今日、「広く受け入れられている私たちの経済の基礎は、限界をもたない成長、限界をもたない欲求、限界をもたない富、限界をもたない自然資源、限界をもたないエネルギー、限界をもたない負債……の可能性の仮定である。すべての人間に、自分が好ましいと思うものを無制限に追求する権利が与えられている」[47]。

マルサスは、資本主義がかつてない規模と速度で商品の生産に拍車をかけたまさにそのとき、限界をもたない拡張を抱えた限界をもった世界

46 Xenos, "Liberalism."

47 Wendell Berry, "Hell hath no limits," *Harper's*, May 2008.

に行き当たったのである。彼は、なぜ新しい豊かな富がすべての人間に平等に分配されないのか、なぜそれがいつも十分ではないのかの理由を正当化した。彼の考えの非凡な点は、欠乏を成長と両立させ、限界があることを限界がないことと巧みに両立させたことだった。そうする中で彼は、一方では、すべての人間に行きわたるだけ十分であることはなく私たちはもっと生産しなければならないと論じ、片や一方、たとえもっと生産したとしてもすべての人間に十分ということはないという主張を巧みに維持した。マルサスの地球では、「人間は豊かさの中で生きることはできない」[48]。人口の安定または減少は、激しい苦しみ、悲惨さ、悪徳の結果としてのみしか生じえない。マルサスの構想では、定常状態に豊かさなどありえない。

というわけで、マルサスは資源の限界を発見したのではなかった。彼は限界をもたない――また、限界づけられない――現代経済学の主体、すなわち、本能を備え、大地を従わせ人々で満たすため働くよう召命を受けた主体を発明したのだ。限界を知らない「ホモ・エコノミクス」からするなら、定義上、世界には限界がある。人々が欲するものすべてを

48　Malthus, *Essay*, 57.

得ることは決してできないし、また、彼らすべてにとって十分ということは決してない。環境主義の一つの重要な先行者、ロマン主義者が想像し驚異の的とした、ものに溢れた豊かな世界と異なり、マルサスが発明した世界はケチくさい。そして、それがケチくさいのは、私たちの欲求が常に過剰であることによっている。

資本主義を説明し、正当化し、安定させるために出現した科学たる経済学が、その基礎をなす原則としたのは、欠乏、あるいは希少性というこのドグマだった。経済学者たちはマルサスの思想を改変し、洗練させ、時代の変化に適合させてきた。しかし、機能は同じだった。すなわち、富の中に不断に存在する貧困を説明して容認し、平等な社会の不可能性を証明すること。自由市場と限界のない成長が、唯一の道であると正当化することだ。

第2章　経済学――限界なき欠乏

ロビンソン・クルーソーは満足げに自分の地所を見わたした。何年も前、海からこの浜辺に打ち上げられたが、神のおかげで今の彼に欠けているものはない。良きイギリス人のように、柵に囲まれた家があり、たくさんの果物が実り、狩りをするためや大麦や米を育てるための鉄製の道具をもち、ワインのためのブドウがあり、ミルクのためのヤギがいて、楽しませてくれるオウムもいるし、最近は、召使いであり仲間でもある「フライデー」もいる（フライデーは、船が難破したとき失ったアフリカからの奴隷たちを思い出させた。ブラジルにある彼の農園は、今でもあの奴隷たちなしで採算がとれているだろうか）。

ロビンソン・クルーソーは満足だろうか。もう呑気に構えていられるだろうか。

いいや！　人生は短く、一日は24時間しかない。オウムに耳を傾けるべきか、聖書を読むべきか、畑を耕すべきか、フライデーに英語と賛美歌を教えるべきか、再び海賊がやってくるのに備えてもっと槍をつくるべきか。一日には一日分しかできない。たぶん来月になって、槍をつくり終え、フライデーがひどい英語で文章を発するようになったら、少しは休む時間もあるだろう。

近代経済学の寓話

マルサスに霊感を与えたのは『創世記』だが、続く多くの経済学者たちは、ダニエル・デフォーの1719年の小説『ロビンソン・クルーソー』に彼らの理論の拠り所を発見した。ライオネル・ロビンズが1932年の画期的な書『経済学の本質と意義』で語ったように、「クルーソーの振る舞いを検討してみることは、さらに進んだ研究を促進する計り知れない照明を投げかけてくれるかもしれない」[1]。ロビンズはその論文の中で、「様々な用途をもつ希少な手段と目的との関係に関わる人間の行動を研究する科学」というよく知られた経済学の定義を提示した。[2]

希少性というこの仮定の背後にある考えは、私たちは無制限に欲しがり、しかし時間には限りがある、というものだ。希少性こそ、私たちが経済化する〔すなわち何かを経済的に使用する〕理由である。そして経済学は、経済化の科学である。自分にとって有用なものは何であれ最大化しようとする孤立した人間が、新古典派経済学として知られるようになるものの基盤となった。新古典派経済学は、限られた時間の中で最大限のものを得ようと闘うロビンソン・クルーソーの現代版、ホモ・エコノミクスの行動の複雑な数学的モデルを発展させた。

ほとんどの経済学者は、この新しい経済学はマルサスと何の関係もないと言うだろう。経済学者は言う。マルサスは**彼の**世界に関しては正しかった。しかし、彼が描くその社会は、産業革命の到来、また、新しい

1　Lionel Robbins, *Essay on the nature and significance of economic science* (London: Macmillan, 1932)〔ライオネル・ロビンズ（小峯敦、大槻忠史訳）『経済学の本質と意義』京都大学学術出版会、2016年〕, 18.
2　Robbins, *Essay*, 16.

社会を意味づける新たな分析的経済学の到来と共に消えてしまった。[3] さらに経済学者が言うには、マルサスは死の床にあった陰鬱な世界を記述したが、それに対し、産業の成長がもたらした新しい世界は、限界を知らない。古い世界では、自然が限界だった。新しい世界には絶対的限界はなく、あるのは私たちが時間をどう使うかという選択だけである。

マルサスが経済学の歴史における外れ値のように扱われるのは奇妙なことだ。マルサスは、最初の専門的経済学者でなかったとしても、最初の政治経済学の教授だった。新古典派経済学として知られるようになった新しい経済学は、「マルサスの小さな論文に多くを負っていて、その視野もそのトーンも、紛れもなくマルサス的である」[4]。際限のない人間の欲求と自然的・普遍的希少性という前提、希少性に対する応答としての勤勉と成長の強調、勤勉を育むためという理由に基づく不平等の擁護、最大多数の最大利益への関心という仮定、それ自身の目的を挫折させるからという理由で拒否される再分配、これらマルサス主義の教義が、今日なお福祉をめざす政治や貧者のための近代的な法律に反論するため動員されている。

3　Paul Krugman, "Malthus was right!" The conscience of a liberal, *New York Times*, March 25, 2008. 〈https://krugman.blogs.nytimes.com/2008/03/25/malthus-was-right/〉.

4　Michael Perelman, "Marx, Malthus, and the concept of natural resource scarcity," *Antipode* 11（1979）: 80-91.

今日の多くの経済学者の研究と同様、マルサスの業績はイデオロギカルで、平等な人間からなる社会は不可能であるという政治的命題あるいは信条を論理的に「証明」している。[5] そのモデルは、単純化された寓話、エデンの園からの追放の寓話に基づいて形づくられた。しかしもっと重要だったのは、マルサスが新しい専門分野の中核的考え、希少性というアイディアを展開させたことだった。限界の預言者ではなく、限界をもたない欲求の預言者として彼は、克服できない永久的欠乏のアイディアを発明した人々の中に含まれる。事実、マルサスの人口と食料への執着は、生産が増加し不足が軽減されるにつれ意味をなさなくなった。人口増加が減速し化石燃料と植民地が拡張したことで、再び世界は限界をもたないかのように（少なくとも西洋の人には）思われた。しかしなお、マルサスが最初に説明しようと求めた問いは、そのまま正当な問いとして残っている。すなわち、それら多くの富の中に依然として貧困があるのはなぜなのか。もしも限界がないなら、私たちのほとんどはなぜ依然として克服できない限界を経験しているのだろう。いつになったらすべての人に十分なものが得られるようになるのだろう。

5　すべての経済学者がそうしたがっているわけではなく、異なる学派の間には差異があるし、個々の論文にもニュアンスの違いがある。過度に一般化したうえで、私は新古典派経済学と呼ばれてきたものの核にある傾向を指摘している。

「決してそうはならない」というのが陰鬱な科学の答えだったし、今もその答えである。しかし、この答えを維持するため、経済学者はマルサスの古い理論を新しい時代に適合させなければならなかった。

相対的希少性と絶対的希少性

経済学は限界をもたない人間の欲求というマルサスの前提を保持したが、再生産（繁殖）という、人々がうまく制限できることを実証した本能の代わりに、あれをしたい、これをもちたいという際限のない欲望、つまりは限界をもたない生産と消費の欲望を仮定した。[6] 食料の限界が時間の限界に変わり、都会の住民たちが感じている、時間が足りないという経験に訴えかけた。「人間は実質所得と余暇の両方を欲しがっている」が、「それぞれの欲求を十分満足させるに足るだけの時間がない」[7]。私たちは「感覚をもった生き物で、」とロビンズは続ける。

欲望と刺激の束、大量の本能的傾向、すべてが私たちを異なる行動

6 Dale, "Adam Smith's green thumb."

7 Robbins, *Essay*, 12.

に駆り立てる。しかし、こうした傾向に形を与えることができる時間は限られている。外的世界は、それらを全部成し遂げるに十分な機会を与えてくれない。人生は短い。自然は出し惜しみしている。私たちの仲間はまた別の目的を抱えている。しかもなお、私たちは自分の人生を他のことをするために用いることができ、私たちがもっている物質や他者の人的サービスを異なる目的達成のために用いることができる。[8]

私が携わるエコロジー経済学の分野には、新古典派経済学者と全く異なるタイプの経済学者がいる。なぜなら私たちは経済をお金ではなく、エネルギーと物質の流れとして理解するからだ。私たちは、マルサスが言う希少性あるいは絶対的希少性、すなわち、たとえば食料や資源といった手段の有限性と、新古典派の言う希少性あるいは相対的希少性、すなわち、無限に様々な用途を満足させる手段の希少性とを区別する。[9]

もっとも、私たちが見たように、マルサスの言う希少性は食料の限界に由来するのではなく、限界をもたない人間の性的衝動に由来していた。また、彼にとって希少性は絶対的なものではなかった。彼は、食料や資

8　Robbins, *Essay*, 12–13.

9　Adel Daoud, "Robbins and Malthus on scarcity, abundance, and sufficiency," *American Journal of Economics and Sociology*, 69 (2010): 1206–29.

源の使用はどんな限界もなしに増大できるだろうと考えていた。その希少性は相対的で、人口増加と食料生産の異なる割合の結果である。マルサスにとって、無限の数の子どもに食べさせるには有限の食料が足りないのは自明のことだった。一方ロビンズは、私たちがやりたいと思うことには際限がなく、それを全部こなすには時間が限られているという意味で希少性を語っている。両者にとって、食べ物にせよ時間にせよ、すべてを満たすには十分なだけのものがなく、しかも私たちは際限なくすべてを欲しがる。すなわち、**私たちの世界は、私たちの欲求が限界をもたないゆえに限界づけられている。**限界をもったこの世界で、希少性だけが限界を知らない。

ロビンソン・クルーソーは、ものが豊かに溢れる島に上陸した。しかしなお、自分の時間を作物を植えることに振り向けるか、オウムと話すことに振り向けるかを決めなければならなかった、とロビンズは語る。希少性は天国に至るまで彼につきまとった。マルサスが主張するように、決して地上に天国はありえない。

しかしながら、マルサスと同じくこの物語は円環を描いている、あるいは循環論である。

それは、人々があれをしたいとかこれをもちたいとか思っているものには限界がないという前提から出発する。そこから希少性が導き出され、それが成長を正当化し、翻って際限をもたない人々の欲求と追求を追認する。現実には、成長は、利潤の増幅を要請するシステムである資本主義に特異な欲求である。それなのに、希少性の発明によって成長が自然なものとされ、聖化された。そしてそれは、人間の本性に刻み込まれた（いわく、成長は、経済学者や資本家ではなく人々が欲している）。この前提の起源は神聖で、マルサスのごとくキリスト教徒にとっては神の望みであり、自由主義経済学者にとっては何であれ欲するものを追求する人々の生得権である。しかし、その前提の基礎は等しく、人々は可能なかぎり欲するというものだ。そして結論は、「そうすべきである」となる。

経済学者たちはマルサスの普遍的・自然的希少性の物語に仕上げを施し、限界なき成長の永続性という、他には意味をもちようがない目的を正当化した。[10] しかし、底を流れる前提はいささか馬鹿げている。死後の暮らしの経済学に関するいくぶん風刺的な文章の中でスコット・ゴード

10　Robert Skidelsky and Edward Skidelsky, *How much is enough? The love of money and the case for the good life* (London: Penguin, 2012)〔ロバート・スキデルスキー、エドワード・スキデルスキー（村井章子訳）『じゅうぶん豊かで、貧しい社会——理念なき資本主義の末路』筑摩書房、2022年〕.

ンは、仮に天国には時間が無限にあり、したいことを何でもすることができるとしたところで、なお私たちは希少性に苦しむだろうと語る。なぜなら、ハープを弾くことと泳ぎに行くことを同時にはできないように、私たちは一度に一つのことしかできないからだ。ものに溢れているためには、天国には無限の時間の広がりがなければならない。無限の時間の長さ、ではない。ゴードンは次のように論じる。無限の時間の広がりがあって初めて私たちは、無限の事柄を全部同時になすことができる、無限を一点の瞬間に押し込んで。[11] この意味での無限の瞬間がないかぎり、私たちは常に希少性に直面するだろう（この考えは私に、「地獄には限界がない」という文章の中でのウェンデル・ベリーのコメント、「天国を拒絶する人々にとって、地獄はどこにでもあり、かくして限界がない。彼らにとって、天国という考えさえ地獄である」[12] というコメントを思い起こさせる）。

経済学者たちが当たり前として受け取っているこの奇妙な観点からのみ、この分野の基礎をなす概念、「機会費用」という不思議な考えが意味をもつ。「一つの目的を果たすための時間と希少手段を含むすべての行為は、別のことを達成するためにそれらを用いることの放棄を要請す

11　Scott Gordon, “The economics of the afterlife,” *Journal of Political Economy*, 88（1980）: 213–14.

12　Berry, “Hell hath no limits.”

る」と、ロビンズは書いている。[13] 簡単な言葉で言うなら、私たちが何をするにも費用がかかる、すなわち、代わりに他のことをするのをやめるという費用がかかるのだ。このことは、ロビンズがしたように、もしも私たちが無限の数のことをしたいと思っていて、一度に一つしかできないゆえに満足が得られないことを仮定するなら意味をもつ。無限の欲求をもつこの無限の世界には、休息も、天国もない、死んだ後でさえ。

希少性がリアルになる

ちょうどマルサス以外誰も、人はできるかぎりたくさん子どもが欲しいと思っているなどと主張していないように、経済学者自身以外誰も、人生のいかなる瞬間も自分は無限の数のことをしたいと思っているなどと考えたことはない。たくさんのことをしたいのは疑いなく私たちの本性だし、一つのことをすることが他のことをしないことを意味するのも確かだ。しかし、選び、求め、制限を設け、自分がもっているもので安

13　Robbins, *Essay*, 13.

らぐのも私たちの本性である（事実、人間以外の他の動物は、無制限に産んだり、あるいはもっともっと生産するため働いたりしない）。[14] 経済学モデルが描くこの熱狂的「現実」は、しかし、経済学モデルの処方箋が人々の中に、処方箋に記述された世界のイメージを形づくるにつれ、少しずつ私たちの生きた経験になってきた。時間はますます短くなってきている。

　かのミルトン・フリードマンは、一つの前提は現実によってではなく、その予測をテストしてみることによって評価されるべきだという立場に立って新古典派経済学の前提を擁護する。[15] すべての人間がロビンソン・クルーソーなわけではないが、経済のモデルをつくるために人間は単純化されなければならない。私たちがホモ・エコノミクスのように振る舞うと仮定することで世界をうまく描けるなら、そうするのがよいのだと。しかし、そのモデルはしばしば反証可能ではない。マルサスを考えてみよう。人口がより速く増加できないというのは自明の理、事実であって、予測ではない。現実やあなたのモデルが何かありそうもない予測（たとえば、人口は指数関数的に増加し今日２５６０億人に達するという予測）を論駁したとして、だからといってあなたのモデルのその他の部分がもっともら

14　マルサスの考えはエコロジーに影響を与えてきたし、「環境容量」という観念、すなわち、一つの生物種は食とエネルギー資源を十分見つけるなら最大数に達するまで増え、その後崩壊するという仮説の背後にある。しかし、行きすぎや崩壊はコントロールされた実験室の条件下でのみ起こり、エコロジカルな相互行為が個体数を限界内に留めている現実の生活の中では滅多に起こらない。動物は遺伝的に受け継いできたメカニズムを通しても個体数をコントロールしている。Vero Kopner Wynne-Edwards, *Evolution through group selection*（Palo Alto: Blackwell Scientific, 1986）をご覧いただきたい。環境容量という考えの歴史とそのマルサス主義起源に関しては Nathan Sayre, "The genesis, history, and limits of carrying capacity," *Annals of the Association of American Geographers*

しくなるわけではない。あなたは単に一つの事実（疑いなく興味深い事実）、すなわち、もしも人口が自然な割合で増加していくなら今日その数は考えがたいものになるはずで、そうでないとすれば何かが人口を保つため抑制を効かせているに違いないという事実を主張しているにすぎない。同じように、個人は効用を最大化するという新古典派の基本的前提は、価格を説明するのは需要と供給の理論の基本であるという事実によって確証されるとされている。しかし、効用が本当に価格と相関しているかどうか、それをテストするため計量できた者はいない。効用は価格の中に表われていると主張することは、もしも何がどれほど有用であるかを知る唯一の方法が価格だとするなら、トートロジーになってしまう。

　これらの前提は非現実的であろうにもかかわらず、希少性の物語は、理論によってつくりだされたものではないにせよ、理論によって正当化を促され、実際の欠乏経験と共鳴し合っている。分析的経済学は、産業革命、資本主義と一緒に現れ、希少性の概念は前代未聞の社会的流動性と富という文脈の中で姿を現した[16]。宗教が後退し、封建的貴族制が弱まり、欲求と物質的期待が習慣、階級、宗教的制限から解放された。新し

98（2008）: 120–34 をご覧いただきたい。

15　Milton Friedman, "The methodology of positive economics," in *Essays in Positive Economics* (Chicago: University of Chicago Press, 1953)〔M・フリードマン（佐藤隆三、長谷川啓之訳）『実証的経済学の方法と展開』富士書房、１９７７年〕.

16　Nicholas Xenos, *Scarcity and modernity* (London: Routledge, 1989).

いブルジョアジー[1]は何を欲しがることも正当化されると感じ、他の者たちはブルジョアスタイルで生きることを熱望した。消費で示される社会的地位が、固定された階級の社会的位置に取って代わり、都市の無名の人々の間では特にそうだった。隣人や新聞に出てくるような人々ほど自分は所有していない、といった個人的欠乏の心理的経験は非常にリアルだった。しかも、比較に基づくこうした社会的希少性は、一つのコインの片面にすぎない。別の面では、囲い込み《エンクロージャー》[2]が農民を追い出して工場に送り込み、さもなければ食料援助や救貧院に送るといった物質的貧困の経験が非常に生々しかった[17]。

　地位の不平等と基本的物品への不安定なアクセス、これら2つの欠乏経験は、今日に至るまで相互に養い合っている。共有財《コモンズ》の囲い込みは人々をさらに賃金労働に依存させ、一方、社会的序列における地位は商品購買力で示される。これは、叶えられなくても大したことではない、過大に膨らんだ、非現実的な、とんでもない欲求の問題、などではない。すなわち、社会的平均に近い消費をすることは、見栄っぱりの問題ではなく自尊心の問題、尊厳ある生と見なされる生き方と向き合い、同じ地

［1］資本家階級を指す。資本主義社会の中の富と権力の所有者として、労働者階級と対立する。

［2］共同利用されてきた耕作地、放牧地や森林などを分離、もしくは統合し、所有者を明確にし、私的・排他的に利用管理をすること。

17 Dale, "Adam Smith's green thumb."

位の者たちと同じように品格のある暮らしをするということだ。地位に結びつく限られた品物をめぐる競争は、それらの品物の価格を押し上げ、資源を公的あるいは共有財から私的所有物に移し変え、前者を侵食してさらに多くのものを貨幣に応じて利用可能なものにする。これが、いかにして富裕の中で貧困が再生産されるかの仕組みである。[18]

　資本主義の下で不断に増えつづける富は、貧困や欠乏の経験を撲滅できない。人々は常に梯子《はしご》のもっと上にいる者たちがもっているものと引き比べ、わが身の限界を経験する。際限なく拡張するというシステムの約束は、明日になれば自分ももっともてるだろう、今日金持ちたちがもっているものに近づけるだろうという希望を人々の中で生きつづけさせる。今日の貧者が受けている病気治療は、マルサスの時代の貴族が受けていたものよりずっと良い。それでもなお、金持ちに可能なのに自分には、愛する人の命に関わる病気の治療費を支払うことができないとき、私たちは本当の欠乏感覚を経験する。不平等が欠乏を育てるのだ。

　コモンズの公平な共有は、こうした欠乏を緩和できるだろう。人々が生きるため必要とする最低限のものにアクセスでき、他の人とあまり比

18　John Kenneth Galbraith, *The affluent society* (Boston: Houghton Mifflin Harcourt, 1998; 1958)〔J・K・ガルブレイス（鈴木哲太郎訳）『ゆたかな社会　決定版』岩波書店、２０１６年〕. 地位消費とその否定的効果に関する似たような議論に関しては、Robert H. Frank, *Luxury fever: Money and happiness in an era of excess* (Princeton: Princeton University Press, 1999); そして、Fred Hirsh, *Social limits to growth* (London: Routledge & Kegan Paul, 1976) をご覧いただきたい。

較しないとき、すなわち、同じコモンズにアクセスできるとき、欠乏は緩和される。しかし、マルサスの『人口論』もその後の多くの経済学理論も、あらかじめ蓄積と成長を組み入れ、共有や平等を拒絶した理論の中で欠乏経験を理論化した。

表面的には、マルサスの言う限界の世界は、近代経済学が描く限界をもたない自由と拡大の世界と全く違って見える。しかし、私が論じてきたように、マルサスの世界は奇妙な限界をもつ世界の一つだった。すなわち、全体にとっては限界をもたない拡張の名の下で、主として貧乏人に影響を与える限界をもった世界だった。これは、今日の耐乏生活の存在を容認する人々の、「私たちは私たちがもっている手段を超えて生活することはできない」という語り口《ナラティヴ》とそれほど違わない（ここで言う「私たち」は、「あなた」を指している）。マルサスによれば、貧乏な人々は制限された食料の分け前を超えて生活できるよう援助されるべきではなかった。限界の中で暮らしてこそ、彼らは限界をもたない衝動を生産に向けて制限し、より多く生産するためもっと一生懸命働くようになるだろう。同じように、現代の経済的耐乏生活の提唱者からするなら、貧乏人は福祉を通じて助けられるべきではない。なぜなら、彼らはもっと生産（そして消費）しようともっと一生懸命働く代わりに、自分たちが生産する以上のものを消費するだろうからだ。エコロジストは新古典派経済学者の「空っぽの世界」、資源に何の限界もない世界という見方を批判してきた。しかし逆説的に経済学者たちが描く世界は、マルサス以来、物がいっぱいの世界、あまりにいっぱいで貧乏人のためのスペースさえない世界だった。船は常にもっと大きくなることができるが、いつもいっぱいのままだ。

一つ問いが残る。それではなぜ経済学者たちは、マルサスを専門分野の前史の中に追放してしまうのだろう。

私は、マルサスがことの成り行きのビフォー&アフターを表すすばらしいお化け（ブギーマン）の役を果たしたからだと思う。マルサスが描く食料の欠乏と飢餓の世界は、ものが豊富な資本主義の世界の前、私たちがペダルから足を離せば途端に舞い戻ってしまいかねない世界のこととされている。ポール・クルーグマンが言うように、「私たちがついに「マルサスの」罠を抜け出したのは、産業革命があってのことだった（もし抜け出したとすればだが、きっと35世紀の歴史家は、1800年から2020年ぐらいまでの時代を一時的逸脱の時代と見なすだろう）」[19]。いわゆるマルサスの罠から持続的成長までの変遷に特化した「統一成長理論」という経済学の分野さえある[20]。その文献では、成長なしの文明、資本主義に先立つ数百年間の人間の歴史は、「マルサスの罠」に囚われた「マルサス的停滞」の犠牲者と見なされている。

こうした用語は、それを経験していた人々にとって逃げ出したくなるような望ましくない状態を暗示している。しかし、これまでの文明において、人々が停滞に囚われていると考えていたような歴史的証拠は見当たらない。たとえば、人がプルタルコスやトゥキディデスの中に見出すのは、哲学、民主主義、太陽神を備えた古代ギリシャの世界（時には大虐殺もあったが）である。そこには停滞や若死、あるいは短い平均寿命を嘆く恨み言はない。この最後のものは、近代人の最大の関心事だ（もちろん女性や奴隷たちは、プルタルコスやトゥキディデスが語る物語とは違う人生の物語を生きていた）。際限ない拡張、あるいは生、経済、などは、資本主義にまつわる中心的希求であり、近代西欧世界に特異な想像形式らしい。

19 Krugman, "Malthus was right."

20 Oded Galor and David N. Weil, "From Malthusian stagnation to modern growth," *American Economic Review*, 89 (1999): 150–54.

そして、経済学の見晴台から眺めれば、定常状態は停滞、すなわち克服されるべき状況としてしか理解されえない。

これまで主張してきたように、マルサスは先駆者でも例外でもなく、むしろ近代経済学の隅石なのだ。経済学の潮流は、依然として変わらないマルサスの妥当性を説明するために、長い道のりをたどってきた。これが、『人口論』の出版から２２０年経った今、限界について本を書くにあたり、なぜ、いまだに彼から始めなければならないかの理由である。メイヒューが適切に指摘しているように、持続的成長によってアダム・スミスは正しかったことが証明されたとか、大恐慌によって間違っていたことが証明されたとか考える人はほとんどいない。マルサスが「永久に近代的」であると見られている事実は、彼の業績が正典とされていることの証だ。[21] 不幸なことに、環境保護論者もまたマルサスの規範を受け継ぎ、エコロジカルな問いを欲求、資源、テクノロジーといった経済学的慣用語に貶めてしまっている。

21　Mayhew, *Malthus*, 234.

マルサス的環境保護論の限界

現代アメリカの環境保護論は、1960年代後半、人口増加に対する「マルサス的瞬間」の恐れの中で誕生した。[22] アメリカと世界の人口は急激な割合で増加していた。アジアやアフリカにおける飢饉の亡霊が、革命や二大超大国間の核対立に雪崩を打って流れ込み、「人口爆発」の脅威が生み出され、人口が政治や公的議論の中心的論題になった。[23] 大災害といった抑制が反対方向に働くことから、人口が長期にわたって幾何級数的に増加することはありえないと論じた学者エコロジスト、ポール・エーリックやギャレット・ハーディンといった名前が、一般家庭の話題に上るようになった。

これら「新マルサス主義者」は、急激な成長が限界をもった世界と衝突するだろうという発想を保持していた。もっとも、マルサスと違い彼らは、限界を、順応性があると見なされる人間の性格ではなく、資源や

22 Thomas Robertson, *The Malthusian moment: Global population growth and the birth of American environmentalism* (New Brunswick: Rutgers University Press, 2012).

23 Paul Ehrlich, *The population bomb* (New York: Ballantine, 1968)〔ポール・R・エーリック（宮川毅訳）『人口爆弾』河出書房新社、1974年〕.

土地の性格に帰属させた。マルサスと違い新マルサス主義者は、産児制限や国による強制的な人口抑制を推奨した。こうした新マルサス主義者に抗して経済学者は、マルサスの物語の別の半分、食料生産の増大のほうを訴えた。双方を一緒に眺めてみると、経済学者も新マルサス主義者も、限界をもった世界における限界をもたない成長という『人口論』の同じコインの両面を演じていた。実際のところ、勝利したのは経済学者のほうで、化石燃料に支えられた1970年代の緑の革命[3]や、西洋や中国における出産率の低下が、人口に関する懸念を打ち砕いた（地球全体の人口は増加しつづけていたが、割合は低下した）。

環境保護論者たちは、環境を破壊するからという理由で成長を制限することを望んだ。しかし、結局のところ彼らは、環境が保護されなければ成長が止まるだろうと論じていた。著名な経済学者ロバート・ソローが、環境保護論者は自ら気づいている以上に成長賛成派であると冗談を言ったほどだ[24]。1972年、ローマ・クラブは、のちに『成長の限界』として出版されることになる研究を委託した。MITのドネラ・メドウズと若手研究者たちのグループによるセミナー報告である[25]。レポートに

[3]　1940年代から1960年代にかけて、発展途上国における農業の生産性向上などを目的とした、穀物類の品種改良や、農業機械化、化学肥料の大量導入。

24　Robert Solow, "Is the end of the world at hand?" *Challenge* 16 (1973): 39-50.

25　Donella Meadows, Dennis Meadows, Jorgen Randers, and William W. Behrens, *The limits to growth* (New York: Universe Books, 1972)〔ドネラ・H・メドウズほか（大来佐武郎監訳）『成長の限界──ローマ・クラブ「人類の危機」レポート』ダイヤモンド社、1972年〕.

述べられたシミュレーションの背後にあるのは単純な考えで、人口と消費の複利的な成長は早晩無限に向かうというものだった。無限は論理的に不可能で、とすれば成長は抑制されなければならないし、抑制されるだろう。

レポートは、人口が経済に、食料が資源に置き換えられた形でマルサスの理屈を継承していた。長期的には、経済は資源採取の割合以上に速く増加できないと、メドウズと共同研究者たちは論じる。資源は有限であり、入手可能性の抑制を受けて経済は遅かれ早かれ破綻する。もっとも、マルサスと異なりＭＩＴのチームは、私たちは資源の限界内に自分自身を制限し、（基本的には、更新可能な資源への転換、リサイクル、代替物の獲得などが可能なほど十分低い率に資源の使用を抑えることで）破綻を穏やかな着地に変え、恒常的な人口と消費を可能なかぎり高い水準に維持することができると考えた。選択肢は、成長を滑らかに制限するか、破綻に任せ自ずと制限させるかのいずれかである。

この血脈を引く環境保護主義は、限界をもたない欲求というマルサスの前提は受け入れなかったが、欲求自体は好ましいとする広く行きわたった見解を問うこともなかった。『成長の限界』のハッピーエンドのシナリオは、成長を遅らせ最大多数の利益を永久的に維持しようという論の一つであり、最大限可能な人間の数を維持しようとするマルサスの問題関心とどこか非常によく似ている。速度を遅くする理由は、もっと良い、違った暮らしを希求することとほとんど関係ない。それはむしろ、外部にある限界、すなわち、私たちの欲求とぶつかり合う、物事の性質上課せられる限界への適応だった。変化への動因は願望ではなく、迫り来る破綻に直面しての生き残りだった。

こうしたマルサス的枠組みは、経済学者たちの稼ぎの種だ。同じMITのロバート・ソローは、『成長の限界』の出版以降、それを激しい口調で批判した。[26] 彼によれば、どれほど速く私たちが資源を取り出せるか、あるいは限界が与えられた場合に、所与の資源の総量からどれだけアウトプットを引き出せるかは、テクノロジーの問題である。資源は十分あるし、それだけでなく仮に資源が枯渇しようとしても、もしそうなったら価格が上昇し、少ししか資源を必要としない、あるいは依然限界に達していない別の資源に回帰した新しいテクノロジーが開発される

26　Solow, "Is the end of the world at hand?" として発表されている。

だろう（いわゆる代替のプロセスを通じて）。マルサスのモデルにおいて食料増産が人口増加を許すとしたら、ソローにおいてはテクノロジーが経済成長を許すことになる。

こうした応答とその後の研究の中で、ソローはエコロジカルな問いを正面切って経済学の領域に移した。マルサス的枠組みの中で考えるかぎり、自然な動きと言える。彼にとって問題は、資源抽出またはテクノロジー変化の相対的割合である。もしも『成長の限界』が論じるように自然資源が有限なら、マイナス成長でさえ、資源のゼロ以上の使用である以上、最後には資源を使い尽くし、生産を終わりに追い込むだろうと、ソローは応じる。問うべきは、限界ある資源をどのように時間を超えて配分すれば、最大数の総人年を維持できるかということだ。これは本質的には、限りある資源の世代間における最適配分の問いになる。そして、限りある資源をいかに最適に配分するかこそ、経済学を経済学たらしめているのだと、彼は言う。

ロビンズ以降の経済学者たちは、希少性をもつのは自然資源だけではなく、資本、労働、時間でもあるという考えを徹底的に展開してきた。

この見方からすれば、もし将来の世代に残す森林が少なくなったり海洋が汚染されたりしても、それがもっと多くのことができるテクノロジーを備えた資本を次世代にたくさん伝えるための費用であるなら、そちらのほうが良いということになるかもしれない。森林をもっと使うか使わないかの選択として問いを位置づけることで、問題は、生態的な限界の問題から配分の問題に、すなわち、最大限可能な数の人間の欲求を最高度に長期間満足させるためには何が有効かの問題に移し替えられる。もしも今日木を切ることで明日のもっと豊かな経済的繁栄が得られるなら、そうするのが良い、というわけだ。

別のところで私は、テクノロジーが資源の枯渇に追いつけるかどうか、あるいは資本は自然の代替物になりうるかどうかに関して、自分の意見を述べたことがある。[27] 幾何級数的な複利的成長は無限大に向かう傾向があり、マルサスが最初に指摘したように、論理的に言ってそれは抑止されなければならない。そのとき、何が抑止するのか、いつ、あるいはどのようにするのかはそれほど明確でない。また、破綻の後に低次のレベルからの新しい成長が続くかもしれない——厳密に言うし、経済の規模

27　私はこれらの問いやエコロジー経済学に関する別の問いを Kallis, *De-growth* の中で取り扱った。

の限界は、成長の限界と同じではない。ここでの私の論点は、成長に限界があるかどうかについての果てしない議論の中で、誰が正しく誰が間違っているかという議論に立ち返るのではなく、むしろその枠組みを問うことの大切さだ。

新マルサス主義的環境保護論者は、マルサスと違うルート（限界のない欲求ではなく、資源の限界）をたどって、限界をもつ世界という観念に到達したかもしれない。しかし、世界の状況に自然に刻み込まれたものとして限界を捉えるビジョンは、マルサスや経済学者たちと同じ希少性のモデルを再生産することになってしまう。最大限可能な数の人間を維持するために破綻を呼び起こしたマルサスのように、制限を求め、成長の破綻を呼び起こす環境保護論者は、自分たちが求めているのはできるかぎり長期にわたり最大限可能なアウトプットを維持することだと主張することになる。こうしたマルサス的枠組みの中で、エコロジカルな問いは、所与の限界という制約の中でいかに最適条件のアウトプットを維持するかという問いに還元され、翻ってそれは、本質的に社会的である問題に、市場による解決への道を開く。成長を制限することへの呼びかけ

28　私はここで、生物学者で新マルサス主義者のポール・エーリックと、経済学者でテクノユートピア主義者のジュリアン・サイモンとの間の恥ずべき賭けごとを頭に思い浮かべている。*The Malthusian moment* でロバートソンが再び取り上げたように、その賭けでエーリックはサイモンに負けた。賭けから10年後の鉱物の価格はエーリックが予測したより低かったからだ（価格は実際2000年代に、エーリックが予言したレベルまで上昇したが、その後再び下降した）。鉱物の価格は欠乏だけではなく他の多くの要因に依存しており、これは全く限界のテストなどではない。この物語の中で私が衝撃的だと思うのは、地球の征服と成長のための成長という無意味な追求を制限したいという環境保護論者の願いが、マルサスのロジックに従うことでどのように価格についての賭けに姿を変え

が、いかに成長を維持することが可能で、どれくらい長く可能かという賭けを含んだ無味乾燥な科学論争に還元されてしまう。[38] 成長を制限しようというその呼びかけを、私は、先祖たちが抱いた傲慢《ヒュブリス》［4］に対する不安、違った形で生き、違った形で意味を見出したいと願う思いとして論じるつもりだ。マルサスの枠組みを採用することで、環境保護論者は限界に関する自分たちの考えの限界につまずいてしまう。しかし、そうならなければならなかったわけでは決してない。

たかという点である。

［4］古代ギリシャ倫理思想における重要な概念。思い通りに事が運んで繁栄の極みにある人間が、自らの力を過信するがゆえに生じる、思い上がった言動。このような分をわきまえない振る舞いは、天罰を招くものと考えられた。第4章を参照。

第3章 環境保護論の限界

エマ・ゴールドマンは、19世紀後半から20世紀初期にかけて合衆国で花開いたアナキスト・サブカルチャーの雄弁な唱導者だった。彼女は、女性の平等の権利、フリー・ラブ[1]、働く者の権利、無料の大学教育を主張した。そのゴールドマンが、自分自身を新マルサス主義者と呼んでいた。当時誤ってマルサスに結びつけられていた産児制限に対する支持のゆえだった。[1] しかし、ゴールドマンの生涯と思想はマルサスと正反対だった。彼女は18歳のとき結婚し、2年後に夫と別れた。産児制限に関する資料を配布して「暴動を煽動した」罪で投獄され、1917年、徴兵制に反対する運動を起こして2年間服役し、その後追放されてロシアに

[1] 自由恋愛主義。主に北米において発達した、結婚、避妊などは当事者の私的な問題であるとして、国家や教会の規制から自由な恋愛を求める社会運動。

1 マルサスが産児制限に激しく反対したことからすると皮肉なことに、1870年代、「マルサス主義」という言葉は産児制限の推奨と同義語になった。20世紀初期の活発な産児制限運動に関しては、Joan Martinez-Alier and Eduard Masjuan, "Neomalthusianism in the early 20th century," in *Encyclopedia of Ecological Economics*, 2005, をご覧いただきたい。〈Isecoeco.org〉よりアクセス可能。エマ・ゴールドマンはマルサスの生涯に通じていたわけではないようだ。たとえば彼女は、「偉大な人物が偉大な思想を抱いた。産児制限の父ロバート・マルサス」とか、「もしもマルサスが今日生

渡った。ボリシェヴィキ〔2〕に失望し、1923年ロシアを離れた。「もしも踊ることができないなら、あなたたちの革命に参加したいとは思わない」というのが彼女のモットーだった。[2]

ロマンティック・アナキスト対マルサス

ゴールドマンは、産児制限運動をこう記述している。

強制された妊娠の残忍な頸木《くびき》と束縛から女性を解放することをめざす〔運動〕、すべての子どもが安楽に生まれてくる権利を求める運動、自由な労働を永遠の依存から解き放つことを助けるだろう運動、世界に新しい形の母性を導き入れるだろう運動。[3]

ゴールドマンにとって産児制限に向けた闘争は、「来るべき革命にとって中心的な多くの大義」[4]の一つだった。人口の抑制も同じで、なぜなら、

資本主義は軍国主義なしにやってゆけない、塹壕で破壊されるべき

きていたら、多くの大衆が貧乏なままで金持ちがますます金持ちになるのは、過剰な人間の必要に応える肥沃さと豊かさを地球が欠いているからではなく、地球が多くの人間を排除して少数者の手によって独占されているからだという社会主義学生や革命家たちに同意しただろう」と考えていた。このことに関しては、Emma Goldman, "The social aspects of birth control," *Mother Earth* (1916): xi, reprinted in Peter Glassgold, *Anarchy! An anthology of Emma Goldman's Mother Earth* (Berkeley: Counterpoint Press, 2012) をご覧いただきたい。

〔2〕ロシア語で多数派の意。ロシア社会民主労働党が1903年に分裂した際、レーニンが率いた左派。ソヴィエト連邦共産党の前身。職業的革命家を中心とする少数精鋭主義を組織原則とし、大衆政党を主張したグループ

素材は大量の人間によって供給されるので、資本主義は大量の子どもをもたなければならず……どんな環境においても余剰労働力が減少してはならず、さもなければ……資本主義文明は侵食されるだろう……また、であるから、政治経済学者は資本主義体制のすべての支援者たちと同じく、大量で過剰な子どもに賛成で、したがって産児制限に反対する。[5]

　ここで言われている限界は、私たちの欲求と世界との衝突から派生する自然的特質ではない。私たちが際限なく欲しがるよう欲しているのは、私たちの本性ではなくシステムだ。私たちをこのシステムの制約から解放しその帰結を避けるため、それに栄養を与えている自分たちの欲求を制限しなければならないことを、ゴールドマンは示唆している。

　貧困や自然に関するゴールドマンの見方も、マルサスと非常に異なっている。貧困は物事の本性、あるいは私たちの身体の欲望から派生するのではなく、自然が与えてくれるものを冷酷に毀損《きそん》している社会的布置から生まれてくる。ゴールドマンの見方の中の自然は豊富であり、喜びの源であって、苦痛の源ではない。彼女は自分の雑誌を『マザーアー

（メンシェヴィキ）とに分裂した。

2　いろいろなバージョンで彼女のものとして知られているこの言葉を、ゴールドマンは決して使わなかった。しかし、自伝の中で、若い同志が彼女を脇に連れて行って、踊りすぎだと叱責したという逸話を書いている。それに対し彼女は、もしも綱領が自分に修道女になることを期待しているなら、私はそれと関わりたくないと答えた。詳しくは、Emma Goldman, *Living my life* (New York: Knopf, 1931)〔エマ・ゴールドマン（小田光雄、小田透訳）『エマ・ゴールドマン自伝』上下、ぱる出版、２００５年〕, 56 をご覧いただきたい。

3　Goldman, in Glassgold, *Anarchy!* 140.

4　Glassgold, *Anarchy!* xxix.

5　Goldman, in Glassgold, *Anarchy!* 135.

ス』と名づけた。マザーアースは、「人間を慈《いつく》しむもの……無償の地球を自由に妨げられず利用する人間を慈しむもの」[6]だった。彼女がこの題名に思い至ったのは、ある早春の一日、「マザーアースの子宮の中で芽生える生命」に驚き入っていたときだったという。[7]

ゴールドマンとアナキストフェミニストは、ロマン主義運動を性格づけるテーマと共鳴している。マルサスと同時代のロマン主義者は、彼に対する最も厳しい批判者の側に含まれていた。[8]マルサスの『人口論』と同じ年に出版されたウィリアム・ワーズワースの「ティンターン寺院の数マイル上流で書いた詩」を例に引きながらメイヒューが指摘しているように、ワーズワースの中の「自然は美しく、意地悪ではなく、不可避的にその創造者に向かって上に通じ、決して悲惨や貧窮に向かって下につながることはない。打算による利己的行動の泥沼に浸かった者は、まさしく慈愛が損なわれ、社会的絆が破られ、都会に工場が繁栄し、貧困が田野を枯らす世界をつくりだす者となる」[9]。ロマン主義の詩の中では、単純な楽しみの慎ましやかさと喜びこそ豊富さへの応答であって、賜物を最大限活用しようとするクルーソーの熱狂的追求ではなかった。自発

6 Glassgold, *Anarchy!* xvii.

7 Glassgold, *Anarchy!* xvii.

8 Mayhew, *Malthus*, ch. 4.

9 Mayhew, *Malthus*, 77.

的制限について、ワーズワースはこう書いている。

修道女は僧院の狭い部屋に苛立つことなく
隠遁者はその小部屋で満たされ
学生は物思いに耽《ふけ》る砦で満足する。
小間使いは車輪に、織り手は機《はた》の前に
朗らかに、幸せそうに腰をおろし……[10]

他のロマン主義詩人たちと同じくワーズワースは、簡素さの美を称賛し、自由を限界と結びつけた。また、マルサスが性的欲望の破壊的力を憂慮したのに対し、ロマン主義者たちは、のちのゴールドマン同様、愛の意味を問い、自由な性の表現を解放と結びつけた（著名なロマン主義者ウィリアム・ハズリットがマルサスの論に対する反証の中で書いているように、「[マルサス主義者の見方」では、情熱は私たちのコントロールを超えており、私たちは皆、肉体的必然という帝国の下での奴隷である」）[11]。産児制限は、人が入手可能な手段の内側で暮らそうという打算的実践ではなく、自由な愛を楽しむ道だった。

マルサスの枠組みが私たちの頭の中にあまりに深く染み込んでいるた

10　William Wordsworth, *Selected poetry*, ed. Stephen Gill and Duncan Wu (Oxford: Oxford University Press, 2008), 137.

11　Mayhew, *Malthus*, 90.

め、仮に自然が豊富であるとするなら、自分たち自身に制限を課すことは逆説的であるように見えてしまう。自然は欠乏を抱えているからこそ、それを保存しなければならないのだと考えるべきではないだろうか。いや、そうではないとロマン主義者は言う。なぜなら、自然は、過剰な欲求があるときのみ欠乏しているからだ。欠乏に対する生得的な応答は、情け容赦ない獲得と征服である。しかし自然は、私たちが自分の欲求を制限し、それが与えてくれる恵みを享受するとき、豊富になる。ロマン主義者はこのことを、本能的に、また詩的につかみ取っていた。

しかし、これは単に詩だけの問題ではない。ここには人類学的な核心が潜んでいる。狩猟採集民の集団を研究した最近の人類学者たちは、彼らの中に、一方で豊富さを信じながら他方で制限の中で生きる多様なエートス[3]があることに気がついた。1990年代と2000年代にコンゴ北部でヤカピグミーと共に暮らした民族誌学者のジェローム・ルイスは、ヤカがどのように森を豊富なものと見ているかを観察している。環境に対する彼らの信頼は、多くの狩猟採集民に共通して見られる。それは、ヤカがエキラと呼ぶ義務的で非相互的な分かち合いの倫理の一部であり、

［3］　性格や慣習を意味するギリシャ語。アリストテレス倫理学における重要な概念。転じて、ある集団に特徴的な性質や道徳を指す社会学的・人類学的用語としても用いられる。

ルイスからすると「豊富さを維持する理論」[12]である。「エキラ」は私たちに、「正しく分かち合うことによって、資源は豊富なものとして経験される」[13]ことを教えてくれる。ヤカは賜物を分かち合い、富と権力の蓄積を制限する、とルイスは説明する。森が豊富さを維持するのは、森は豊富であるという前提が、人を征服したり服従したりさせない制度や社会関係と共にあるからだ。西洋の伐採者や保護主義者はそれと違い、森は欠乏を抱えた資源であるとする考えを抱いてコンゴ北部にやってくる。ルイスの報告によれば、伐採者は貴重な木々をコントロールしたがり、保護主義者は希少動物をコントロールしたがる。そして両者ともヤカを障害と見なし、彼らを森から引き離そうとする。「希少性という認識がこれら両方の行為のイデオロギー的基盤であり、〔森の〕囲い込み、産業化、資本主義化の牽引《けんいん》者である」[14]。ウェンデル・ベリーが言うように、「この世界の命は、それを小さいと思っている人にとっては小さく、それを大きくしたいという欲望はそれをさらに小さくし、ついにはゼロにまで縮小しかねない」[15]。

　ロマン主義者、エマ・ゴールドマン、狩猟採集民から今日の緑の党ま

12　Jerome Lewis, "Managing abundance, not chasing scarcity: The real challenge for the 21st century," *Radical Anthropology* 2 (2008): 11–19, 13.

13　Lewis, "Managing abundance," 13.

14　Lewis, "Managing abundance," 16.

15　Berry, "Hell hath no limits."

で、知的な連続性があると私は主張しているわけではない（ヤカはそう聞いたら幸せに思うかもしれないが）。ロマン主義者のある者は宗教的理由で人口増加を唱道し、ある者は植民地主義に賛成した。私たちが見てきたように、限界に関する環境保護主義の見方にも、そうしたものが混じり合っている。私はこの場で、非マルサス的な限界観念の芽生えを指摘したい。それはギリシャやローマの哲学にも、また同様に、非西洋の教えや生き方にも存在する。[16] 限界に対する同様の切なる思いは、ラディカルな西洋の環境保護論者の心の中にもある。たとえば、現代の環境保護運動の始まりとなったレイチェル・カーソンの『沈黙の春』[17]は、希少性を抱えた自然が化学物質を吸収することで空間を使い切ってしまうことを述べたものではない。カーソンは、生命溢れる自然を略奪することを制限してほしかった。殺虫剤の使用を制限するようにという彼女の呼びかけは、彼女の観点からするなら犠牲ではなく（また、単に有機的代替物があるからではなく）、他のものに被害を及ぼすような生産を制限することこそ、鳥の歌声に溢れたより良い未来に至る道だった。

『沈黙の春』と『成長の限界』の違いは、わずかではあるが重要であ

16 Emrys Westacott, *The wisdom of frugality: Why less is more — More or less* (Princeton: Princeton University Press, 2016).

17 Rachel Carson, *Silent spring* (Boston: Houghton Mifflin, 1962)〔レイチェル・カーソン（青樹簗一訳）『沈黙の春』新潮社、１９７４年〕.

る。『成長の限界』もまた迫り来る災害を指摘し、道を変えることを呼びかけている。しかし、『成長の限界』は、成長が殺虫剤のようなひどい結果をもたらしてきたと主張しているだけではなく、成長が止まってしまう、それは世界に残酷な結果をもたらすだろうと予測しているのだ（もっとも、ドネラ・メドウズたちは、確かに『沈黙の春』と非常に近い方向に彼ら自身の研究の議論を進め、成長の終焉と政治や価値観の変化を呼びかけてもいる。これは事実、私が以下で主張しようとするような制限の設定に近い）。

自己制限

ここでは、コルネリュウス・カストリアディスの自己制限の観念が役に立つ。[18] 序章で触れたように、カストリアディスにとって決定的な境界線は、他律（heteronomy）と自律（autonomy）の間に引かれていた。ノモス、すなわち法は、文字に書かれていようといなかろうと、社会が機能していくために必要な制限を明確に示す。人々は自分たちで法を定める

18　コルネリュウス・カストリアディスは1922年コンスタンティノープルで生まれ、同年家族と共にアテネに引っ越した。1945年に彼は、ギリシャ内戦の中で迫害されている知識人たちを救助する船マタロア号でパリに逃れた。そこで1970年までOECDの経済学者として働き、彼も設立を助けた「社会主義か野蛮か」という革命グループのために「ピエール・ショリウー」その他いろいろな偽名で執筆した。彼は哲学と、自分が実践していた精神分析を研究し、それを教え、マルクス主義と経済学の深い理解の中で両者を結び合わせていた。1977年没。

が、ほとんどの社会はそれを「社会の外にある源、想像上の、聖なる源に帰着させ、それらが法を疑いないものにしている」[19]。十戒[4]はそのようなものである。

他律的社会では、限界は疑うことを許さない外部の権威に帰せられる。対照的に、自律的社会は、「それ自身の制度に対する態度は明断であり、反省的であり、自由である」[20]。自己制限[21]は自律であり、政治的いきすぎの抑制（たとえば少数者の権利の保護など）、社会的行動（たとえば犯罪）の制約、外部の世界や環境に関する集合的行為の制限を含んでいる。[22]

カストリアディスは自律の観念を、古典ギリシャの民主主義にまでたどる。彼によれば、それは啓蒙主義によって再生され、しかし未完のまま残されている。西欧の民主主義は、科学であれ、テクノロジーであれ、自由市場であれ、真理の源に疑いを差し挟むことができないところまで次第に後退してしまった。民主主義と資本主義は17世紀に一緒に姿を現したが、資本主義の使命は合理的支配の無制限の拡張であり、限界をもたない、議論の余地のない経済成長に表明されている。拡張に向けた資本主義の断固たる命令に疑いを差し挟むことができない以上、民主主義

19 Cornelius Castoriadis, *A society adrift* (New York: Fordham University Press, 2010), 186.

［4］モーセの十戒。旧約聖書においては、モーセが神から与えられた10の戒律のこと。新約聖書においてもキリストによって守るべき戒律とされており、ユダヤ教・キリスト教の根幹をなす倫理となっている。

20 Castoriadis, *Society adrift*, 231.

21 ここで言う自己制限は、自分自身を制限することではなく、自分自身の限界を自ら課すことを意味している。私の母国語であるギリシャ語には、自己を制限する行為を表す oriothetisi という特別な言葉があり、orio は制限を意味している。ギリシャ語で新たな科学概念を命名することはもはや人気がないが、もしもそうするなら、私は、単に自己を制限するというのではなく自分自身の限界を自ら課す行為という

は資本主義とぶつかり合う。「満たされることを求めるニーズがあるか否かはもはや問われない。問題は、科学的業績であれ、技術的あるいは他のどんな業績であれ、見込みがありそうかどうかだ。もしありそうならそれは達成されるだろうし、それに応じて『ニーズ』が組み立てられるだろう」[23]と、資本主義は厳命する。

カストリアディスはテクノロジーがもたらす意図せざる帰結を指摘して、資本主義による自然の「擬似支配」は決して成就《じょうじゅ》されえないと言う。私たちは、自分たちは化石燃料を使って自然を手なずけていると考えたが、気候変動がそのツケとして回ってきた。この支配はまた、その依って立つところが合理的でないゆえに「擬似合理的」である。それは、自然を従わせるという神学的義務から派生した（このことは、マルサスに関して私たちが見たことを想起させる）。

資本主義だけでなくどんな社会も、当面その社会に当てはまる特定の想像に寄りかかっている。宗教的社会と同様、資本主義文明も、その構成員の間にひと揃いの欲求を育んできていて（ほとんどは精神的というより経済的な欲求）、構成員は、それらを満足させることがないかぎり人生は

点を強調するため、自己制限をオートオリオテティシ（auto-oriothetisi）と呼びたい。たとえば、自己制限で大切となるのは、もっと食べる量を減らすという点ではなく、どれくらい食べたいかを決め、それからもっと食べないようにする、という点である。

22 Castoriadis, *Society adrift*, 196, 205.

23 Castoriadis, *Society adrift*, 195.

生きるに値しないと学ぶ。こうした欲求を満足させているかぎりシステムは安定し、人々はその意味を問わない。しかし、自分たちは何が欲しいと思っているのかを問うことこそ、自律と民主主義が自律と民主主義たるゆえんなのだ。

ラディカルな環境保護主義にはこの民主主義精神が生き生きと備わっていると、カストリアディスは強調する。今の時代、それだけが欲求を問い、制限を擁護する唯一の運動であるからだ。他の運動は分配を問うても、資本主義の夢の中身を問わない。エコロジストはそうでなく、生きるに値する生は何から成り立っているのかを問いかけ（ちょうどロマン主義者が愛の意味を探求したように）、カストリアディスが言うところの、「人生の唯一の目標はより多く生産しより多く消費することだという、人を侮辱した考え」の愚かしさを明らかにする。[24]

これは自己に課した制限（自律）の擁護であり、自然によって強制されているとか、当然社会はそうあるはずだとかいうように自分たちが想像している限界（他律）の擁護ではない。自己制限の立場は、否定的帰結、すなわち、自己に制限を課さないことがもたらす危険性に基づいて

24 Castoriadis, *Society adrift*, 199.

いる。また、自分自身の力や意図に制限を課す自由、その制限なしには自由が意味を失ってしまう制限の自由に依っている。

序章で触れた１９００の物語を思い出してみよう。１９００が船を離れることを拒んだとき、彼は目の前に広がる無限の都市に「ノー」を言う。１９００が恐れたのは外側の世界の危険ではなく、ピアノの比喩で彼が説明したように、自分の自由を奪ってしまう外側の世界の無限性だった。

もしも鍵盤が無限なら、演奏できる音楽がなくなってしまう。ワーズワースもまた、自由を自発的な制限に結びつけた。

真実、過大な自由の重みを感じる者にとって
私たちが自らを閉じ込める牢獄は
牢獄ではない[25]

芸術的自由は、実に制限の子どもである。制限することは、詩人が身につけることができる最も重要な技量だ。また、キャンバスは画家の活動の場を定める[26]。それと対照的に、消費社会では、潜在的に無限に広がる選択肢が私たちを圧倒する。無制限の可能性は、解放をもたらすより

25 Wordsworth, *Selected poetry*.

26 Jorge Riechmann, *Gente que no quiere viajar a Marte* (Madrid: La Catarata, 2004).

も消耗させ、不断の欲求不満のもととなりかねない。[27] 自分自身に限界を課すことで選択が単純になるし、1900のように「ノー」のほうを選ぶことが解放をもたらしうる（もっと月並みな指摘をするなら、自由に書き物をするため、自分へのeメールやいつも訪れているウェブサイトをブロックするために使える「フリーダム」のようなオンラインアプリの例がある）。生産性に取り憑かれた私たちの時代、自由とは、より多くのことをする能力ではなく、もっともっとという自己破壊的追求を制限する力なのだ。

それがもたらす帰結や自由を超えて、自己制限には第三の理由があり、それはカストリアディスにも、ゴールドマンにも、1900の比喩にも捉えられていない。それは公正、すなわち他者への気づかいである。というのも、無限の拡張は人間・非人間を問わず他者の生活世界を避けがたく植民地化し、同化するからだ。スペインの哲学者ホルヘ・リーチマンは、「自己制限だけが他者性を可能にし、他者のための空間を残す」[28]と書いている。私たちは、ガンディーが語ったと伝えられるように、他者が簡素に生きられるよう簡素に生きるべきだ。

27 William Leis, *The limits to satisfaction* (Marion Boyars, 1978).

28 Riechmann, *Gente que no quiere*, 54.

環境の限界の問題

私たち環境保護論者は制限を求める自分たちの立場をものごとの帰結や自由や公正の言葉で正当化していない、とは言わない。しかしなお私たちは、しばしば自己制限を外的制限と一緒にして――いわば、ゴールドマンやロマン主義者をマルサスと一緒にしてしまう。私たちはしばしば、限界は母なる地球によって決定されていることであり、好むと好まざるとにかかわらずそれに適応しなければならないと主張する（幸い、その後に、限界の中で生きることは必ずしも悲惨なことではない、それは解放にもなりうるし他者をより傷つけず……などと付け加えてはいるが）。これはまさに、自律的制限の立場からするなら他律的な方法である。カストリアディスが強調したように、「エコロジーは「自然への愛」ではない。それは、たまたま人間がその上に存在している地球、しかも今や人間が破壊している地球に関わる自己制限（それが本当の自由である）の必要性なのだ[29]」。

29　Castoriadis, *A society adrift*, 203.

成長を制限する理由は成長に限界があるからだという、『成長の限界』レポートの奇妙なロジックを考えてみよう。もしも外的限界があるなら、なぜ、その限界が働くのを待たずに自分たちを制限するのか、問うてよいだろう。その理由を『成長の限界』は、私たち自身に制限を課すことで、最終的にやってくる限界をより滑らかにし、そのことで破滅が避けられるからだと仄《ほの》めかしている。言い換えれば、私たちは神を先取りできるということだ。神が私たちに下したいと思っていることを、神のやり方で執行される前に、自分たちのやり方でやることができる。この物語《ナラティヴ》によると、自己制限は生き残りのために命じられているのであって、望んでそうするわけではない。しかし、環境を破壊するシステムに油をそそぐ欲求そのものは、問われないまま残っている。私たちが欲しいと思っているものは、すでに私たちがもっているものだと、議論は暗に語る。ところが、自分たちにはどうしようもできない理由で、私たちはそれを手に入れることができない、それが問題なのだ。したがって私たちがすべきことは、可能なかぎりたくさん欲求を満たし、維持することだ。欲求が問題にされるとき、どれくらいそれを欲しいと思っているかの程度に応じて、それは私たち自身の生き残りの観点から道具的にのみ問われる。そしてそこでの計算は、限界が私たちを制限する前に今、自分たちの欲求を制限すれば、将来もっとたくさん得られるだろうということだ。

外的限界というこのロジックを批判するとき、**私は決して私たちのコントロールの外にある生態学的な力の存在を否定しているわけではない。**何が私たちの限界かを決めるのは、私たちだけではない。一つだけ例を挙げると、環境中にある450ppmの二酸化炭素は、それを超えると地球の温度が2度以上上昇するかもしれない閾値《いきち》である。これは、物理的現実だ。

しかし、そうした外的条件を、限界として位置づける自然の枠組みがあるわけではない。引力は、事実であっても限界ではない。限界は何らかの目標を前提としている。すなわち、もしあなたがビルのてっぺんから地上に生きて降り立ちたいと思えば、引力は限界になる。しかし、自殺したいのであればそうではない。また、もしボールを投げ落とそうと願うなら、引力は助けになる。海水は、魚にとっては命だが、人間にとっては死である。持続的成長を強調する化石燃料文明にとっては、450ppmは限界になりうる。限界は主体や意図の中にあるのであって、私たちの意図に無関心な自然の中にあるのではない。そして、制限されなければならないのは、私たちの意図のほうなのだ。

成熟した自律的文明は、自然とは私たちに限界を課し何をしなければならないかを告げる厳格な母ではないことに気づいているだろう。といってもこのことは、私たちは自分の気の向くまま何でもできるという意味ではない。私たちは不断に外的世界と相互に関わり合い、その外的世界を自分たちの意図に見合ったやり方で変容させ、良かれ悪しかれ、しばしば意図せざるアウトプットを生み出してきた[30]。自然は、ただあるがままである。私たちにとって時に好ましく、時に気に入らない結果を生み出すのは、私たちの行為であり、それをしなければどうなるのかという結果に目を配りながら制限を加えなければならないのは、その行為なのだ。もしも生きて地上に降り立ちたいと願うなら、ビルのてっぺんから飛び降りないほうがいい。もしも海岸線にある都市が水に浸かってほしくないなら、あるいは、森が燃えてしまってほしくないなら、生物種

30　Ted Benton, "Marxism and natural limits: An ecological critique and reconstruction," *New Left Review* 178 (1989): 51-86. をご覧いただきたい。

が絶滅してほしくないなら、私たちは化石燃料の使用を制限すべきだ。化石燃料を取り出すことをやめなければならないのは私たちであり、天が私たちに止めるよう求めているわけではない。摂氏2度の温暖化は成長を阻むかもしれないし、阻まないかもしれない（資本主義は奇妙な獣である）[31]。しかし、もしも私たちが地球の温暖化を避けようと思うなら、成長は制限されなければならない[32]。どこか向こう側にある客観的な何かとして限界を考えることで、それが最終的には私たちと私たちの欲求に関わるものであることが偽装されてしまい、かくしてマルサスの見方、自然は私たちのしたいことすべてをさせてくれるわけではないという見方に近づいていく。

　自然の中に刻み込まれてあるものとして限界を捉えてきたハードな限界の定義が、まさに社会的過程の産物なのだ。2度の温度変化を例にとってみよう。地球の温暖化を摂氏1度でも3度でもなく2度に制限すべき特別な理由はない。それぞれの選択が、費用といまだ見えない影響への異なる適応であり、それでもなお選択は私たちのものだ。2度の制限は、科学者が自然のどこかに見出した何かではなく、気候変動に関する

31　私はこのことをKallis, *Degrowth*, ch. 3, 75-82で論じている。資源の限界、環境の破綻、新しいテクノロジーと投資機会の枯渇と消費需要の限界などによって成長が終わるかどうか（また、いつ）は言うのが難しい。また、資本主義は災害の中でうまくやっていき、環境災害の後に低い産出レベルから成長が回復するかもしれない。

32　Kevin Anderson and Alice Bows-Larkin, "Avoiding dangerous climate change demands de-growth strategies from wealthier nations," 2013, 〈kevinanderson.info〉. また、Jason Hickel and Giorgos Kallis, "Is Green growth possible?" *New Political Economy* (2019): 1-18. もご覧いただきたい。

政府間パネル（IPCC）の場で科学者と代表者との間で交渉し、気候に関する合意を図る会議で採択された制限である。2度という温度は自然の中にある限界ではなく、私たちが自分たちに課したものだ。私たちの選択がもたらす結果についての知識や、何が達成でき何が達成できないかについての考えをもとに、何度の上昇ならその危険を引き受ける用意があるか、それを決めるのは私たちだ。

これは単に言葉の上での区別にすぎず、私が新マルサス主義者や『成長の限界』の言説と自分の違いを過度に述べ立てていると論じる人がいるかもしれない。私たちだってみんな、限界をもたない成長は破滅的結果をもたらし、制限されなければならないと言っているじゃないかと。ある部分ではそうだが、ある部分ではそうではない。『成長の限界』の議論は、結果についての議論だけではない。資源が尽きようとし、成長は終わりに達しようとしていることに対する警告でもある。それは、限界を私たちの意図ではなく自然のせいにする。そのことで、限界をもった世界というマルサスの見方を共有している。それに代わって私は、限界があるからという理由で自分を制限すべきなのではなく、そうしたいからするのだと論じたい。事実、もしも成長に限界がないとしたら、わざわざそれを制限することにはますます大きな理由があると言える。制限する理由は、限界をもたない成長が破滅的であるからだ。

議論を先に進める前に、限界に関する責任を全面的に引き受ける代わりに限界を自然のせいにすることにまつわる5つの核心的な問題を強調しておきたい。

第一に、外的な限界に執着することは、環境保護論者を破滅的運命の預言者にしてしまう。すでに間に合わなくなりそうなことを思い起こさせ、その場を白けさせてしまう人物、あるいはロマン主義者に軽蔑された類の、人生を打算で考える人間に。それは環境保護論を、私たちは十分もたないだけでなくそれに関してできることは何もないと告知する陰鬱な科学より、さらに陰鬱なものにしてしまう。この立場は、マルサスが示したような、人間の勤勉さを総動員して限界を乗り越えようといった手強い主張に常に負けてしまう。そのビジョンは、反エリートリックとして1970年代に政治的人格を形成し、限界をコケにして大いに悦に入っていたロナルド・レーガンによって、実に巧みに組み立てられた。[33] あ

33　Robertson, *Malthusian moment*, ch. 9.

る人は、環境保護主義は限界への執着を捨て、テクノロジーと成長を是認する上昇志向の政治を必要としていると結論づけるかもしれない[34]。しかし、もしもテクノロジーと成長自体が問題そのものの一部であって答えではないとしたらどうだろう。ここで私は、限界と成長についての授業の討論の後でがっかりしていた学生を思い出す。討論の間、経済学の教師は、限界を信じているという理由で彼を悲観主義者の側に位置づけた。彼はこう言った。「僕は楽観主義者です。社会を変えることができると信じています。成長を制限できると願っています。悲観主義者というのは、できないと思っている人たちのことです」。果たして、限界に関する運命論的でない政治を築くこと、限界を自然に帰着させる政治ではなく、制限を求める熱望の上に打ち立てられる政治を築くことは可能だろうか。

その学生の考える政治が「成長支持者」の政治に対抗できる見込みがあるかどうかは見てみなければならないが、彼の立場は確かに楽観主義であり、意志の楽観主義こそ政治へと燃料を補給する。制限を強く求める立場は、自由、民主主義、他者への尊敬の思想の周囲に築かれる。制

34　Ted Nordhaus and Michael Shellenberger, *Break through: From the death of environmentalism to the politics of possibility*（Boston: Houghton Mifflin Harcourt, 2007）.

限の価値、節度と簡素への憧れについては、古い、隠れた知恵があり、多くの精神的、宗教的教えに見出される。また、それらは、潜在的に進歩派にも保守派にも同様に語りかける。[35] 環境保護論者は、時の終わりを告げる預言者や管理者であるより、ラディカルな簡素さを求める熱い希望に満ちたビジョンの担い手になれるだろうか。

第二に、気候変動やその他の地球の危機を、集合的な「私たち」を脅かす「環境問題」として枠組みすることに危険が潜んでいる。私たちが皆同じ船に乗っているという考えは、責任に程度の違いがあるという事実を覆い隠し、何をすべきか、何をすべきでないかに関して根本的に異なる様々な考えの違いを見えなくしてしまう。戦争やテロリズムの場合のように、外部の敵に脅かされている「私たち」という仮定を築くことが、緊急という名の下で、あるいは共通の利害という仮定の下で、権力をもった人間たちが議論を（ということは、民主主義を）棚上げするのに繰り返し使われてきた。ここではまた、環境の危機を、わけのわからない難しい学術用語を使うことで「非政治化」することができる。[36]「私たち」と私たちの生き方に対する外的な脅威としてある限界という考えは、私

35　Westakott, *Wisdom of frugality.*

36　Erik Swyngedouw, "Apocalypse forever?" *Theory, Culture and Society* 27 (2010): 213-32." をご覧いただきたい。

たち全員が平等にその中に置かれているわけではないという事実を覆い隠すことで非政治化する。それに対し、私たちは何を制限したいか、何を制限したくないかについての会話から始めることが自己制限の本質であり、これこそが、真の民主主義のあり方だ。すなわち、自分たちが住みたいと思う世界の多様なありように関する討論こそ民主主義なのだ。エコロジカルな考察や帰結が会話への重要な動機づけではあっても、最終的に問うべきなのは、自然によって命じられすでに与えられた形である現実にいかに順応するかではなく、私たちはどんな世界を、誰のために築きたいのかというものだ。

　第三に、外的限界を喚起することには、それに本来内在する政治的危険がある。限界を抱え切りつめられた空間という発想は、他者を排除する、あるいは他者の領域内へと拡張していく議論に容易に姿を変える。ヒトラーがマルサスの『人口論』を読んだとき、彼が考えたのは産児制限のことではなく、アーリア人種のためいかに拡張を遂げ生存圏《レーベンスラウム》を確保するかだった。[37] マルクス主義政治経済学者のデヴィッド・ハーヴェイが『成長の限界』に対する批判的応答の中で書いているように、もしも希

37 Mayhew, *Malthus*, ch. 7.

少性があるとしたら、すべての人間にとって十分ということはなくなってしまう。[38] そして、すべてにとって十分でないなら、誰かが過剰とされなければならない。このときその誰かは「私やあなた」であってはならず、とすれば「他の誰か」だろう。外国人、移民、あるいは貧乏人のための余裕は「私たちの救命ボート」［5］にはない（ギャレット・ハーディン［6］が用いたこの比喩は、なんと残酷であることか）。

もちろん、「人類が現在地球と衝突するコースをたどっているかどうかという問いは、概《おおむ》ね経験的な問いである。政治的都合に基づいて否定したり肯定したりすべき問いではない」[39]。しかし、私たちのこの「衝突」という枠組みは決して政治的に中立ではないという点で、ハーヴェイは正しい。アフリカにおけるマルサス的破滅の主張の背後で、過剰人口に対する懸念という形で実証研究が人種差別をあらわにしてきた。そうした研究は、貧しい女性たちの権利や身体への侵害を正当化し、公園保護区の居住を制限するという名目で合法化される少数民に対する暴力を正当化してきたのである。[40] ハーディンの仮説的な救命ボートは、国々が自らの領土と経済について想定した限界を理由に国境を閉ざし、難民たち

38　Harvey, "Population," 273.

［5］救命ボートの倫理は、ギャレット・ハーディンが1974年に発表した論文で用いた比喩。ハーディンは、世界の現状を、60人を収容できる救命ボートに50人が乗っていて、100人がボートに乗れずに周囲を泳いでいる状態になぞらえる。ここで、ボートに乗っている50人とは先進国の、ボートに乗れない100人とは発展途上国の比喩である。限りある資源を合理的に分配するためにはどうすればよいか。収容可能人数を超えてしまうので100人全員をボートに引き上げることはできない。100人のうち10人までは載せることができるが、どうやって10人を選ぶかという問題が生じる。また限度いっぱいまで収容することでボートの安定性も失われる。したがって「誰も載せずに見殺しにする」ことは残酷に見えるが合理的な選択であり、

を地中海で溺れるがまま放置するとき、現実のものとなる。

事実、ハーディンと異なり、ポール・エーリックら他の新マルサス主義者たちが、女性に権限を与えて自発的に産児制限することを強調し、地球の限界という名の下でもっと自由な移民、南北間の再分配や連帯に賛成しているのは確かだ[41]。彼らは、世界には限界があり、それは分け合うことの理由であって、自分たちの利権を守ることの理由ではないと論じている。しかし、船の難破を引き起こす嵐のように限界が外側からやってきて私たちみんなを犠牲にしようとしている、そして誰かが別の誰かを犠牲にして生き残るというふうに想像するのではなく、世界に制限を課したいと**私たちは自分で望んでいる**のだということにみんなが同意すれば、分かち合いの立場は、はるかにもっと強くなるように私は思う。

第四に、環境保護論者たちは、どれくらい炭素を排出することが許されるのか、どれくらいまでなら空気や水を汚染してよいのか、生態学的な限界の正確な定義に関する終わりなき科学論争にはまり込んできた。限界の確定には複雑な要素が充満している。欧州議会での私の経験は、産業界の利害は規制を避けるために、不確実性を（つくりださないにして

環境問題の解決も同様である、とハーディンは主張した。宇宙船地球号という比喩に対抗するものである。

［6］アメリカの生態学者。共同的資源管理は必ず失敗するので、人口過多による資源過少問題を防ぐためには公的または私的管理が必要だと主張する「コモンズの悲劇」論文を１９６８年に『サイエンス』誌に発表したことで知られる。

39 John Bellamy Foster, "The scale of our ecological crisis," *Monthly Review* 49 (1998): 5–16.

40 Betsy Hartmann, *Reproductive rights and wrongs: The global politics of population control* (Boston: South End Press, 1995); Betsy Hartmann, "Converging on disaster: Climate security and the Malthusian anticipatory regime for Africa," *Geopolitics* 19 (2014): 757–83; Michael Watts and

も）食い物にすることを教えてくれた。生物物理学的過程は複雑だし、限界を目的と切り離して定義づけることはできない。もしも飲み水の安全性を保とうと思うなら、汚染に対する一定の制限が出てくる。その水源を灌漑に使うつもりなら、また別の制限がある。サーフィンをするためなら、魚釣りをするためなら、などなど。制限の確定は、異なる用途の間の、また異なる権力をもつ集団間の、選択やトレードオフを必然的に伴う。それは分配に関わる選択であるが、しばしば客観的な制限を確定する純科学的な問題として取り扱われている。

　限界は自然のシステムの特性であり、それを研究する専門家によって解読されうるという考えが含んでいる、環境の問いのこうした科学化は、潜在的に非民主的である。その意味で、私が記す第四の問題は、第二の問題と密接に結びつく。科学化は、環境問題の解決を専門家の仕事と見なす受け身の大衆をつくりだす。環境面での制限はトップダウンで上から来るように見なされてしまう。環境問題の解決には、最終的にすべての人の参加が必要であり[42]、人々が自らの限界の所有者となることが求められる。限界をどこかにある何か客観的なもの、選ばれた者だけが知り

Nancy Lee Peluso, *Violent environments* (Ithaca: Cornell University Press, 2001).

41　Robertson, *Malthusian moment*, ch. 9; Paul Ehrlich, Leo Bilderback, and Anne Ehrlich, *The golden door: International migration, Mexico, and the United States* (Malor Books, 1979).

42　Norgaard, "Metaphors we might survive by."

理解できるものとして見ると、そのことが明白でなくなってしまう。

第五に、前章で示したように、希少性という考えは資本主義にとって本質的なものだ。もしも何かが無制限にあるなら（たとえば、私たちが呼吸している空気）、それを専有して、利益を得るため売り買いすることは誰にもできない。豊富さの下では資本主義は機能できない。外的限界と生態学的希少性を主張する環境保護論者は、意図せずして、資源と土地の囲い込みを助長している。もしも何かに限界があるなら、経済的論理が動きだし、その範囲を定め、所有権を設定し、可能なかぎり効率的に配分できるよう取引しようということになってしまう。経済学者はこのロジックを、川の流れ、汚染、保護管理に応用する。自然を資産として、生態系をサービスとして、大気圏を「限界のある流し《シンク》」として〔二酸化炭素をはじめとする温室効果ガスなどを吸い込む空間として〕イメージさせる一見無害そうな言葉が、環境問題を市場による解決に好都合な言葉で捉える常識的考え方をつくりだしてきた。イデオロギー的作用がここで働いていることは、私たちのほとんどが、大気圏、空のことを「流し」（！）のように考える馬鹿げた観念を当たり前と受け取り、それを再生産してきた事実の中に明らかに見て取れる。そうした比喩の唯一の役割は、汚染の問題を、経済学者に馴染み深いマルサス的な希少性の用語に当てはめることでしかない。

不断に成長を続ける市場こそが、実際、環境悪化の重要な牽引役なのだ。1980年代、環境を語る支配的術語が、限界、危険、慎慮から、自然保護の費用、便益、貨幣価値に取って代わられるにつれ、環境規制が取り除かれた。自然は市場によって「最適に」配分されるべき、多くの希少な資産の一つになった。将来世代にもっと多くのお金や機械を残すことで、失われた自然のサービスを補償し、あるいはその影響から彼らが身を守れるようにするという理屈で、いくらか余分なドルや何パーセントかのGDPと引き換えに自然は犠牲にされるかもしれない。地球の温暖化がついに主要な課題となるときまで、ウィリアム・ノードハウスのような経済学者たちは化石燃料禁止の要求を退け、気候変動の将来的費用と、現在それを緩和することから生じる経済的損失とを天秤にかけるよう論じ立てることができるだろう。[43] 気候変動は割引率[7]の問題になってしまった。[44] それから25年経って、化石燃料の使用制限の可能性な

43　William Nordhaus, "To slow or not to slow: The economics of the greenhouse effect," *Economic Journal* 101 (1991): 920-37.

[7]　将来の価値を現在価値に割り引く（換算する）ために用いられる係数。

44　割引率が高く設定されるほど、気候変動による将来の損害は小さく見える。

ど問題外となり、地球は茹《ゆ》だっている。

エコロジカル・フットプリントとプラネタリー・バウンダリーの問題

「エコロジカル・フットプリント」とは、私たちが消費する商品やサービスを生産し、廃棄物と汚染を浄化するのに、どれくらいの土地を必要とするかの試算である。その指標は、私たちが「ここ」でしていることが「あそこ」にどれくらい影響を与えているかを思い起こさせてくれる意味で役に立つ。私たちの行為の環境費用は時間・空間の中で転移され、フットプリントはこの転移で測られる。しかし、その指標、特にその指標が何かを伝えるその方法は、多くの問題を孕《はら》んでいる。すべてのものを土地の使用価値に換算するのに必要な科学的離れ業《わざ》はしばらくおくとしよう。ここでの私の関心は、「人類は地球1・7個分を使っている」[45]とか、「8月1日までに、人類は丸ごと1年分の資源を使い切って

45　the Global Footprint Network, 〈www.footprintnetwork.org/our-work/ecological-footprint/〉. をご覧いただきたい。

しまうだろう」といった言説である。意図がどれほど良かろうと、こうした枠組みは、限界をもった地球というマルサス的ビジョンを再生産する。[46]私たちは数が多すぎるし、あまりにたくさん消費しすぎるという。しかし、この「私たち」とは誰のことだろう。なぜ「私たち」は消費しすぎるのだろう。フットプリントは人々の注意を喚起する見出しとしては役立つが、それは非政治的で、私たち全員を同じ船に乗せてしまう。私たちのやりすぎとされるものが毎年新しく出されて、しかし世界は回りつづけているのだから、私たちはやる気をなくしてしまう。

「プラネタリー・バウンダリー」のほうは、科学的にはもっと洗練されているが、これもまた限界をもった世界の神話を再生産しかねない。[47]惑星科学者はこの地球システムには9つの境界があると言い、私たちがそれを逸脱すると急激に、壊滅的で非線形的な変化の危険を冒してしまうという[48]（気候変動はそうした結果の一つだ。また、種の絶滅、食物連鎖を崩壊させかねない生物多様性の喪失、リンや窒素による汚染、オゾンホール、水産資源を急激に減少させる海洋の酸性化などがある）。おそらくこれらの境界は、世界はかくあると記述しただけであり、何ら政治的なものではないのだろう。

46　Global Footprint Network, ⟨www.footprintnetwork.org/our-work/ecological-footprint/⟩.

47　Betsy Hartmann, "Shrinking spaces, resource races," plenary talk, Conference on Resource Politics: Transforming Pathways to Sustainability, STEPS Conference 2015, September 7, 2015, Institute of Development Studies, University of Sussex, UK.

48　Will Steffen, Katherine Richardson, Johan Rockström, Sarah E. Cornell, Ingo Fetzer, Elena M. Bennett, Reinette Biggs, Stephen R. Carpenter, Wim de Vries, Cynthia A. de Wit, Carl Folke, Dieter Gerten, Jens Heinke, Georgina M. Mace, Linn M. Persson, Veerabhadran Ramanathan, Belinda Reyers, and Sverker Sörlin, "Planetary boundaries: Guiding human development on a changing planet," *Science*

生態系を汚染するまでこれだけの量のリンを放出することができ、地球温暖化の一定の上昇をもたらすまでこれくらいの量の窒素を排出できる。しかし、これまで議論してきたように、それらの事実を限界、あるいは「境界」として線引きすることには、何ら自然なものはない。それらは私たちが境界としてラベリングしたいと意図してこそ（私はそうすべきことに同意するが）初めて境界なのであり、なぜ私たちがもっと暑い地球に暮らしてはならないのか、なぜ汚染された生態系の中で生き残っていてはいけないかという理由はない。おそらく、生活は多くの人々にとって今より悪いものになるだろうが、それでもなお生活がなくなるわけではない。ケイト・ラワースが論じているように、[49] 境界は与えられるものではない。それは、集合的な良き生活のための境界であり、その生活を私たちは選ぶべきなのだ。[50]

境界を地球物理学の中に刻み込み、自然なものであるように見せる行為は、政治的な意味を含んでいる。それは問題を一つの政治的ビジョンというより、地球物理学的、工学的問題といった技術的なもののように思わせてしまうからだ。そこに通底する前提は、より良いテクノロジー

347 (2015): 736.

49 Raworth, *Doughnut Economics.*

50 公平を期すなら、ロックストロームと同僚たちはプラネタリー・バウンダリーを、完新世（Holocene）に似た条件を維持することに即して定義づけている。彼らは完新世を人類のエデンの園、すなわち、きわめて望ましいものと見なしている。しかし、この望みは政治的なものではなく、完新世の自然と自然条件に戻りたいという望みにすぎない。結局のところ誰がエデンの園を望まないというのだろう。物事がなぜ「そうある」のか（すなわち、「完新世の限界（バウンダリー）」にあるのか）に関する単に科学的な言明であることを装いながら、それは私たちが欲しいと思っているのはどんな社会なのかという重要な疑問を沈黙させている。

を開発して化石燃料やリンの使用を減らすかぎり、境界の内側に留まって、今暮らしているように暮らし、永久に成長できるというものだ。これが「緑の成長」と呼ばれてきたものであり、プラネタリー・バウンダリーの著名な唱導者たちが緑の成長の支持者の中から出てきていることは決して偶然ではない。[51] ありがたいことにそのメッセージは、私たちは今していることをやりつづけ、プラネタリー・バウンダリーの内側に留まっていけるだろうと伝えてくれている（少なくともその著者たちの国スウェーデンでは、緑の成長モデルとして賞賛されている）。ある人々はさらにその先まで行き、まさしくこれら緑のテクノロジーを開発していくために、限界なく成長していくべきだと論じている。彼らの中で、限界は、限界はないという立場を打ち立てるために使われる。聞き覚えがあると思うが、それもそのはずで、これもまたマルサスの議論の主意だ。

もしも二酸化炭素を４５０ｐｐｍの濃度に保つことができれば、地球の平均気温を産業化以前の気温から摂氏２度の上昇に固定できるチャンスは50パーセントある、といったＩＰＣＣの提言のように、惑星科学者が処方箋的言明をすることは悪いことではない。しかし、経済学者が、

51　Per Espen Stoknes and Johan Rockström, "Redefining green growth within planetary boundaries," *Energy Research and Social Science*, 44 (2018): 41-49.

これは私たちに2度以内に留まるべきかどうかを言っているわけではないと論じ、2度以内に留まる場合の費用と便益を計算し、その制限を超えてさらなる成長を遂げる場合の費用や便益と比較するべきだと論じたとき、パンドラの箱が開けられた。エネルギーと気候に関する経済の業績でノーベル経済学賞を受けたウィリアム・ノードハウスは、人々は「より温暖化した世界の、以前と変わった景観を愛するようになる」[52]かもしれないとさえ主張している。

温暖化した世界はあまりにも暖かく、まず好まれることはないだろうが、それ以前に、好きとか嫌いという人がほとんど残っていないかもしれない。あるいは、もっと良い状態を知らないがゆえに、人々は「それが好き」と言うこともあるだろう。ノードハウスのような経済学者が考えるのと反対に、気候変動は単に好きか嫌いかの問題や、ドルで計られる費用と便益の問題だけでは済まされない。気候変動を「好み」の問題に還元するのは馬鹿げている。それなのに、経済学者は彼らの問いを、良いか悪いかという観点から形づくることで、何かを捉えている。危機に瀕しているのは、まさに、私たちが今も将来も生み出しそこに住みた

52 William D. Nordhaus, "A review of the Stern review on the economics of climate change," *Journal of Economic Literature* 45, no. 3（2007）: 686-702, 693.

いと思っている社会なのだ。気候変動や海洋の酸性化がある世界なのか、ない世界なのか。それは誰かにとってはより都合が良く、誰かにとってはより都合が悪いだろう。

環境に対する私たちの関係は、静的境界のビジョンが示唆するよりもっと共進化的なものだ[53]。人間が境界を超えてしまい海が溢れた後の生活を描いたキム・スタンリー・ロビンソンの小説『ニューヨーク・２１４０年』を考えてみよう。マンハッタンのダウンタウンが水中に没し、時々貧乏な人々が、崩壊した建物の中で死んでゆく。しかしなおニューヨークは夢の都市であり、男女が恋に落ち、新たなヴェニス風の景観を愛《め》でている。水没した建物で暮らす貧乏人たちは新しい形の芸術を発展させ、打ち捨てられた高層ビルを協同組合が共同住居プロジェクトに変えてゆく。海水面が安定するにつれ、資本家たちは地域の高級化《ジェントリフィケーション》と潮間帯の住宅市場を見越した新たな金融スキームに賭ける。嵐が来て、ある投資家たちの計画は台無しになるが、市場と反対に賭けた人々は儲けを得る。２１４０年には貧困や不平等は現在より悪化し、社会的対立が充満している。これは不愉快でもあり美しくもある未

53 Richard B. Norgaard, *Development betrayed: The end of progress and a co-evolutionary revisioning of the future* (Abingdon, UK: Routledge, 2006); Giorgos Kallis and Richard B. Norgaard, "Coevolutionary ecological economics," *Ecological Economics* 69, no. 4 (2010): 690–99.

来だが、不愉快なものも美しいものも、異なる人々にとって、異なる瞬間には不愉快だったり美しかったりする。歴史はさらに良くはならないかもしれないが、決して止まりはしないことを、ロビンソンの小説は思い起こさせてくれる。

極端な気候変動の下にある未来は、ロビンソンが思い描いたよりもっと悪いかもしれない。しかし、それでも未来はある。問うべきは、最も貧しい者にとってもっと良い未来を生み出すために、今何を制限するか、ということだ。惑星研究は、危機に瀕している問題の結果について、そして私たちが取りうる選択の範囲について、役に立つ情報を与えてくれる。しかし、その制限とは何なのかを教えてはくれない。

自然の終焉後の限界

文明と自然を2つの別々の実在と捉え、外的自然が人間の活動に限界を課していると考えることは、実際次第に問題を含むようになってきた。

私たちは他のあらゆる生物種と同じくらい自然の一部であり、私たちが構築したモノも他のあらゆる動物のそれと同じく自然である。ある学者たちは、人間の活動がその地質学的層に痕跡を残している現在の地質年代「人新世《アントロポセン》」は「自然の終焉」であると、あるいはもっと正確に言えば、私たちはかつて一度も自然の一部でなかったことがないのだから、何か私たちの外にあるものとしての自然という**観念**の終焉を印していると論じている。実際、都市には何ら不自然なものはない。それは、アリのコロニーに何ら不自然なものがないのと同じである。人類は、他の種がしているのと同じように、不断に新しい自然をつくりだしている。

　このことから、私たちは全能である、すなわち、もしも私たちが自然であるなら私たちは自然に対して何でもすることができるとか、何をしようとそれは他のあらゆるものと同じく自然的であるのだからかまわないなどといった結論を引き出すのは間違っている。原生の山とショッピングモールの間には依然として違いがある。[54] しかし、その違いは自然性の問題ではなく、判断の問題だ（私たちには、何であれ自分が好きなものを「自然的」と呼び、それが変わるのを見たくないという傾向がある。また別のときに

54　私はここで、アルド・レオポルドの *A Sand County Almanac*（1949）の中の造語 “thinking like a mountain,”「山のように考える」という句を仄めかしているスティーヴン・ヴォーゲルの *Thinking like a mall: Environmental philosophy after the end of nature* (Boston: MIT Press, 2015）に触れておこう。

は「自然的」という言葉を自分たちが好きではないものを記述するのに用い、「文明化」を欲する。要するに私たちは、「自然」という考えの様々なバージョンの背後に、自分たちの判断を隠している)。

私たち自身の基準や制限を設定するために私たちが十分賢明でなければならないのは、まさしく、明らかな外的限界などないときだ。私たちが自分たち自身を制限すべきなのは、私たちが、ある意味で、外的限界がないことに気がついたときだ。私たちが自分の行為を制限し、できそうなことすべてをおこなうのではないことを選ばなければならないのは、限界をもたないかのように見える私たちの力――創造的、破壊的な力――のゆえであり、また自然が私たちの外にある何かではないからだ。時として私たちは、発見できることを発見しないことを選ばなければならないし、開発できることを開発しないことを選ばなければならない。人間と自然の間の境界がもはや明らかでないなら、制限を課すことで私たちは――気候に関する正義を唱える活動家の言を借りるなら――自然を守る自然になるとともに、人間に抗して人間性を守る人間となる。[55]

しかし、社会は、良き生活の名においてそれ自身を制限すべく行動で

55 Castoriadis, *Society adrift*, 205.

きるだろうか。もしできるなら、どのようにできるだろうか。ここでは実際にそれを成し遂げた一つの社会に目を転じ、その問いに向かうことにしよう。

第4章　限界の文化

エリュシクトンはテッサリアの王だった。ある朝、彼は召使いに、王国の人々を自分の地所に連れてくるよう命じた。彼は、人々を収穫の女神デメテールの神聖な木立の周りに集めた。木立の中心には古い樫《かし》の木が立っていた。「切り倒せ。そこに宴会場をつくりたい」と、彼は召使いに命じた。彼の賢い娘は切らないように懇願した。しかしエリュシクトンは、斧を手につかむと激しく木に打ちつけた。黒い血が流れ、木の精霊が叫び声を上げ、復讐を告げてエリュシクトンを脅かした。王は笑い、木は大地に倒れた。

夜、エリュシクトンは口を開け、イビキをかいて寝ていた。デメテールは彼に飢えの精霊を送った。飢えが彼に口づけし、飢餓の奔流を送り込んだ。翌朝エリュシクトンは目を覚ましたが、何の味を感じることもできなかった。彼は座って食べた、これまでにないほどたくさん、町中全部の人が一日かかっても食べられないほどたくさん食べた。そして、もっとくれ、もっとくれと要求した。飢えを鎮めるため、エリュシクトンは持ち物全部を売った。それでも足りなくて、次には、娘の王女を奴隷として売り払った。

しかし、彼の娘は馬に姿を変え、主人のもとから逃げ帰った。「私をもう一度売って」と、彼女は父に言い、彼の飢えを救おうとした。今度は鳥になって新しい主人のもとを逃げ、次には羊になって逃げた。こうして毎日彼女は策略を弄していたが、ある日、戻るのが遅すぎた。エリュシクトンは口に食べ物を詰め込もうとして、自分の肉を噛んだ。試しに指を噛んでみると、いい味がする。それから腕を噛んだ。そうやってエリュシクトン王は、自分自身をむさぼり食べてしまった。[1]

1　限界の問いに関連する神話とその関連性を教えてくれたのは、バルセロナでのリチャード・シーフォード教授との会話だった。神話のこのバージョンは〈http://classictales.educ.cam.ac.uk/stories/metamorphoses/erysichthon/explore/Erysichthon_transcript.pdf〉による。

貨幣、民主主義、限界の起源

「ギリシャには私たちの中心的な懸念を考えるための神話がたくさんある」と古典学者リチャード・シーフォードは述べ、エリュシクトン王の神話を地球温暖化に当てはめている[2]。自然を生産物に変えることは将来を犠牲にする持続不可能性に導き（娘によって象徴されている）、自己破壊的である。

ギリシャほど限界に対する問いに心奪われた文明は他にあまりない。シーフォードが指摘するように、古代ギリシャには「限界の文化」があった[3]。紀元前6世紀初頭のアテネのポリス創設そのものが、まさに法的に限界を定めようとする行為だった。ソロン[1]は自らをホロス（ὅρος）、すなわち、2つの対立する階級（富者と貧者）の境界、あるいは境界の印と呼んだ。ソロンは制限を制度化し、節度を公言した。節度は、彼がコスモスに帰した限界がもたらす原則、古代ギリシャにおいて最も強く求め

2　Seaford, *Ancient Greece*, 6.

3　Seaford, *Ancient Greece*, 9.

［1］　アテネの政治家で詩人。ギリシャ七賢人の一人。貴族・平民に推されてアルコン（執政官）となり、「ソロンの改革」を実施。ギリシャの民主政の基礎をつくった。富者と貧者の闘争を調停すべく、借財の帳消しや、身体を抵当とする市民間の貸借の禁止、また全市民を収入によって4級に分け、各級に応じ参政権と軍事義務を規定した。

られ賞賛された一つの人格とした。[4] 権力の頂点にあったとき、法制化の事業の仕上げとしてソロンは、権力に過剰に忍び寄る誘惑を退けるため自らを追放した。[5]

この章の要点は、私たちは古代ギリシャに回帰する必要があるということではなく、そこから学ぶことができるということだ。私たちの文化は、権力と富を際限なく蓄積するという考え方にどっぷり浸かっている。限界がないというレトリックは、権力をもたない者に対しては厳しい制限を押しつけることと表裏一体である。しかし、民主制ギリシャにあっては、限界を文化の中心に据える中で、すべての階級が先例のない自由と政治的権力を経験していた。もちろん私たちは限界について東洋の文化やその他の文化から学ぶこともできるが、古典ギリシャは「理解できるほど十分に私たちと似ており」、また、私たちの歴史的偶発事に光を投じてくれるほど十分に私たちと異なっている。[6]

私はここで古典ギリシャにおける限界の思想史、その制度化の歴史を提示しようというのではない。私自身がギリシャ人であり、子ども時代の多くを自分がアキレスであることを夢見ながら送ったが、それだけで、

4 Michel Foucault, *The use of pleasure: The history of sexuality*, vol. 2 (London: Penguin, 1992)〔ミシェル・フーコー（田村俶訳）『性の歴史II 快楽の活用』新潮社、1986年〕.

5 Luigi Zoja, *Growth and guilt: Psychology and the limits of development* (London: Routledge, 1995), 58.

6 Seaford, *Ancient Greece*, 4.

何ら古典の専門家を気どるつもりはない。私はカストリアディスの仕事を通して、限界の問いを考えるにあたり古代ギリシャが大いにふさわしいことを発見した。私のここでの議論にとってきわめて決定的なカストリアディスの自律の理論は、多くをギリシャに負っている。最近になって私は、貨幣の発明に関するリチャード・シーフォードの独創的な研究に行き当たった。彼の命題は、ギリシャ文化の多くは、限界をもたぬかに見える貨幣の性質に対する反応の中で形づくられたというものだ。この章で私は、両者の思想家に広く学び、同時に古典ギリシャの性に関するミシェル・フーコーの議論を参照する。こうした著者たちのレンズを通して、ギリシャを、聖別化しようというのではなく、自分の発見を促してくれるものとして用いようと思う。ギリシャ文明の主要な局面、特に女性と奴隷の立場に関しては、賞賛されるようなものではない。しかし、アテネ以前もアテネ以降も多くの社会が女性や外国人を搾取してきたが、そのどの社会も、自己制限を中心的な問いとするような民主主義をもっていなかった。そしてこの点が、ここで私の興味を惹く。いかにしてギリシャは限界の文化を育むに至ったのか、また、この文化はどのような形をとったのか。

最初の問い、起源に対する問いの簡単な答えは、貨幣と民主主義である。ギリシャ人は、汎用性のある貨幣の力を初めて経験した人々だった。[7] シーフォードによると、潜在的限界をもたない貨幣の性質は、ソロンからアリストテレスに至る多くのギリシャ人によって咎《とが》めるような調子で記述され、そのことが、ギリシャ人が限界をめぐって抱いていた不安を説明する。ギリシャ文化は、今まさに解き放たれようとしている限界なき貨幣の力に対する反応として読み解くことができる。

アリストテレスは、私たちの欲求に限界があるのに対し、貨幣を生み出すために貨幣を使うことには限界がないと論じた。[8] 貨幣の際限ない増加は不自然であると、彼は論難する。なぜなら、自然にあってはすべてのものに限界があるからだ[9]（明確にしておくなら、アリストテレスは限界を自然に帰属させていない。たとえば、マルサスと異なり、他の命もつものと並び、私たちには自然な形で限界が組み込まれ、限界に心傾いていると論じる。無限界性に、ではない。私たちのニーズには限界がある。限界をもたないのは貨幣である）。アリストテレスに続きのちにマルクスが書くように、貨幣は何とでも交換

7　Richard Seaford, *Money and the early Greek mind* (Cambridge, UK: Cambridge University Press, 2004).

8　Aristotle, *Politics* (Indianapolis: Hackett, 1998)〔アリストテレス（神崎繁ほか訳）「政治学」『新版 アリストテレス全集　第17巻』岩波書店、2018年〕, 17.

9　Aristotle, *Politics*, 19.

でき、そのことが飽くことない貨幣への欲望をつくりだす。物理的な商品に対するのと対照的に、貨幣とその蓄積に対する私たちの欲望には限界がない。[10] アリストファネスの喜劇『富』（紀元前388年頃）の中である人物は、人はセックス、パン、音楽、名誉は十分手に入れられるのに、お金に関してはそう感じられないことに驚いている。彼は何としても16タレント（古代の通貨）を手に入れようと努め、しかしいったんそれを手にすると、「40タレントを手に入れるまで人生は堪えがたい［だろう］」と悪態をつく。[11]

氏族と儀礼からなる古い共同的世界と、貨幣からなる新しい非人格的世界との衝突が、ギリシャ悲劇の核心にあった。[12] 悲劇の一般的な主人公である暴君は貨幣に執着し、そのことで神々や共同体から孤立する。暴君は「自分自身の血族を殺し、神聖なものを汚し、権力の手段としての貨幣に大いに心砕く」。[13] かくして悲劇は、「儀礼的（社会的）限界と貨幣の（個人的）無限界との対立を孕んだ統合の主要な現場」[14] だった。アイスキュロスの『オレステイア』三部作の中で、限界をもつ者は常に限界をもたない者に勝利する。悲劇は、「潜在的に際限なく続く復讐の輪」

10　Karl Marx, *Economic and philosophical manuscripts of 1844 and the Communist Manifesto* (Amherst, MA: Prometheus, 1988; 1844)〔カール・マルクス「1844年の経済学・哲学手稿」『マルクス＝エンゲルス全集　第40巻』大月書店、1975年、カール・マルクス、フリードリヒ・エンゲルス「共産党宣言」『マルクス＝エンゲルス全集　第4巻』1960年〕.
11　Aristophanes, *Frogs, Assemblywomen, Wealth* (Cambridge: Harvard University Press, 2002).
12　Seaford, *Money*.
13　Seaford, *Ancient Greece*, 5.
14　Seaford, *Ancient Greece*, 6.

と、同時に「潜在的に際限なく続く富の蓄積」[15]に終止符を打つことで幕を閉じる。

シーフォードと同様にカストリアディスは、悲劇の中に限界を想起させるものを見ている。しかし、彼にとって、悲劇によって取り上げられている決定的問題は、ポリスがそれ自身に制限を課すそのやり方だった。アテネの民主主義は、何か聖なる経典の上に築かれたものではない。アテネの法律の総体的な源は、主権者たる人民だった。ギリシャ人は、自らのポリスを「オリンポスの神々よりさらに献身に値する……神格の地位にまで[16]」高めた。ギリシャの神々は上位の力ではないし、絶対的でも賢くもない（その冒険や不運の数々を考慮すれば、全くその逆だ）。ポリスのために決定を下すとき、ギリシャ人は神々に助言を求めなかった[17]。

では、外的規範を知らない体制の中で、人々はどのように規範を定めるのか[18]。カストリアディスは次のように書く。「人々は何でもすることができる——また、何かをするのと同じように、何をすべきではないかを心得ていなければならない」[19]。ギリシャの文化と宇宙論《コスモロジー》、政治や経済の制度、個人的・政治的エートスは、個人的・集合的な節度、すなわち

15 Seaford, *Ancient Greece*, 8.

16 Zoja, *Growth and guilt*, 56.

17 Cornelius Castoriadis, "The Greek and the modern political imaginary," *Salmagundi* 100 (1993): 102–29, 112.

18 Castoriadis, "Greek and the modern," 112.

19 Castoriadis, as cited in Sophie Klimis, "Tragedy," in *Cornelius Castoriadis key concepts*, ed. Suzi Adams (London: Bloomsbury, 2014), 205–21, 209.

自己制限の原則をめぐって構築されていた。

ここで中心をなすのは**傲慢《ヒュブリス》**という観念である。ギリシャ人にとって傲慢《ヒュブリス》は、単に思い上がりや行きすぎのことを意味するのではなかった。むしろ、カストリアディスが指摘するように、傲慢《ヒュブリス》とはそれまで定義されていなかった限界を逸脱することだった。[20] 傲慢《ヒュブリス》は、神々によってあらかじめ設けられた限界に従わないことではなく、過剰に関すること——何かを度を越して手にすることで、それを象徴する神々から取り去ってしまうことに関わっていた。[21] 傲慢《ヒュブリス》は、「限界や境界はあらかじめ設定できない。だから、実践知《フロネシス》、すなわち注意深さが必要なのだ。境界は確かに存在する、そしてその境界を私たちが超えてしまったときには、定義上、もう取り返しがつかないのだ……。古代悲劇の主人公たちは、大災害が起こって初めて、自分たちに傲慢《ヒュブリス》、すなわち過剰が宿っていることを知るのである」[22]。

20　Castoriadis, "Greek and the modern."

21　Zoja, *Growth and guilt*, 39.

22　Castoriadis, *Society adrift*, 196.

自己制限の制度

かくして、悲劇は自己制限の核心的制度だった。悲劇は単なる一つの文化形式だっただけでなく、ギリシャ社会がそれを通してそこでの行為に意味を与え、社会自身を再生産する媒体だった。悲劇は傲慢《ヒュブリス》の効果を顕わに示し、共に民主的に生きていくためには集合的・個人的な自己制限が必要なことを観客に思い起こさせた。

悲劇も民主主義も、両方、アテネで鋳造硬貨が使われはじめたひと世代か少し後、紀元前510年頃に制度化された。アテネの民主主義は、ある面で、限界をもたない貨幣の増加によって引き起こされた難題への応答として打ち立てられた。その核をなす制度は、貨幣と権力の蓄積を制限するためのものだった。ソロン以前、借金を返済できない農民が結局奴隷としてわが身を富裕な同国人に売るに至るといった市民の紛争が起きてきていた。農産物生産の増加は自然による制限を受けるが、利子や借金はそうではない。利子をとってお金を貸すことが発明され、アテネ社会に内戦の脅威が引き起こされた[23]。ソロンは債務を取り消し、借金のカタとしての奴隷化を廃止し、農民に政治的権利を与え、貴族の特権を抑え、持参金を制限した。彼の論理は、公正をめざすというよりも、富者の過剰な蓄積を防ぐことだった[24]。ソロンの金言がデルフォイの神託所に刻み込まれている。「メーデン・アガン――何ごとも過ぎたることなかれ[25]」

私たちと異なり、ギリシャ人は個々人が富をつくりだすとは考えなかった。神々が富を与え、都市がそれを個々人に分配する。税金はあったが、アテネにおける私的財産は公的財産より少なく、今日ほど集中していなかった。富裕な者は、行政長官によって指名されたレイトゥルギア（奉仕）として、主として祭りや船といった都市の経費をいくぶんか賄うよう求められた（もしも指名された人間が、自分より裕福な者が他にいると信じたら、その者が奉仕の資金を払うよう責任の交換を訴え出ることができた）。

アテネの政治制度は、また一方で、権力が際限なく蓄積されることを抑えた。デモ（民衆）が支配し、農民も（男性でアテネ市民であれば）政府

23　Robert Wallace, "Revolutions and a new order in Solonian Athens and Archaic Greece," in *Origins of democracy in Ancient Greece*, ed. K. Raaflaub, J. Ober, and R. W. Wallace (Berkeley: University of California Press, 2007), 49–82.
24　Zoja, *Growth and guilt*.
25　Zoja, *Growth and guilt*, 47.

に参加する権利をもっていた。全体として権利は名前だけではなく実効性をもち、アテネの農民－市民は君主をもたなかったし、他者のために働く必要がなかった。[26]紀元前5世紀を通し、アテネ市は市民に対して、都市に6000人いた陪審員の一人になることや、エクレシアと呼ばれた民会への参加や、軍務、記念碑建設の手伝いなどの市民としての政治的務めに日当を支払った。お金が与えられたので人々は劇場に行くことができたし、また、犠牲を捧げるときには肉が無料で配られた。全般的に言って、こうした直接・間接の収入が人々の基本的ニーズをカバーし、すべての人間がポリスの行事に参加する時間をもち、誰も富裕な者に依存したり影響を受けたりしなくてよかっただろう。[27]市民はみんなエクレシアで法律を提案することができた。しかし、自己制限の違反に対しては誰もが過去に遡って不法を告訴され、悪法であることが明らかになった法律に賛成投票するよう人々を説得した者を、市民は互いに法廷に引き出すことができた。[28]

軍隊を含む特別な知識が求められる分野では専門家が認められ、軍隊には最良の将軍たちが選ばれた。しかし、政治は専門家の領域とは見ら

26 Ellen Wood, *Democracy against capitalism: Renewing historical materialism*（Cambridge, UK: Cambridge University Press, 1995）.

27 Karl Polanyi, *The invention of trade: Market, money and democracy in Ancient Greece*（in Greek）（Athens: Enallaktikes, 2017）. 英語版は出版されていない。これには、古代ギリシャの交易に関するポランニーの未完の論文とノートが含まれている。

28 Castoriadis, "Greek and the modern."

れなかった。行政官は抽選で選ばれ、その地位は順番に交代し、[29]誰も過大な権力を蓄積できなかった。アテネ民主制の創始者クレイステネス以降、紀元前508年には僭主《せんしゅ》[2]が追放され、権力者に成り上がりたいと思っていることを疑われた者やソロンの機知に欠けた者には陶片追放《オストラシズム》[3]が待っていて、命令される前に立ち去ったりした。

自己を制限する技《アート》

古代ギリシャの性に関する魅惑的な研究の中でミシェル・フーコーが示しているように、ギリシャの人々は、個人の欲望を統御する節度という政治的エートスを内面化していた。[30]節度は、極端の忌避とか中庸を意味するのではなく、ソロンが言うように、「すべてのものに限界があると考える（知性の）隠れた尺度」だった。「行いにおけるコスモスの尺度と節度の推奨」という考えは二つとも、ソロンにもヘラクレイトスやピタゴラス派の哲学にも共通している。[31]

29　Castoriadis, "Greek and the modern."

［2］　古代ギリシャで、非合法な手段によって政権を奪取し、独裁制を樹立した人物のこと。アテネのペイシストラトスなど。

［3］　古代ギリシャにおける、僭主の出現防止のためになされた市民による投票制度。アテネのそれが特に有名。僭主になる恐れのある人の名を「陶片」（オストラコン）に書いて投票し、票が一定数を超えた者は10年間アテネから追放されたが、市民権や財産を失うことはなかった。

30　Foucault, *Use of pleasure.*

31　Seaford, *Money*, 166.

ギリシャ人は、貨幣への欲望や、セックス、アルコール、食べ物などの快楽を求める欲望を過剰なものと考えた。哲学者によって考慮された道徳的な問いは、いかにこうした欲望に向き合い、コントロールして従わせ、自分たちの経済を規制するかということだった。[32] 彼らはマルサスと似た問題に取り組んでいたが、それを苦しみや拡張といった言葉で考えなかった。ギリシャ人はすべての欲望を受け入れた。いわばキリスト教司祭として考えたマルサスと対照的に、責められるべきは欲望そのものではなく、アリストテレスに従うなら、自然の量を超えようとする誘惑、**もっとたくさん**、ということだった。[33] ギリシャ人は良き欲望と悪しき欲望を区別しなかった。代わって彼らは、快楽をもたらす活動を正しいやり方でコントロールし、制限し、配分し、自己の行為をコントロールできる主体として自らを形成する技量として、管理の技《アート》を発展させた。[34]

個人の振る舞いは、道徳的・宗教的教理、法や慣例、あるいは制裁行動の権威を備えた宗教的統一体の主題ではなかった。ありていに言って、ギリシャの神々は悪い例だった。ヘブライまたはキリスト教の罪は、しなければならないこととしてはならないことを明確に規定する二分法を

32 Foucault, *Use of pleasure*, 50.

33 Aristotle, *Politics*, 16.

34 Aristotle, *Politics*, 139.

想定している。[35] ギリシャ人は、単に過剰と傲慢《ヒュブリス》を避けようとする。快楽を享受する振る舞いは、かくして一つの「倫理的問題」となり、[36] 反省や思慮分別を要求する一つの実践となる。[37] 何であれ一様で一貫した体系をすべての人間に同じような仕方で課すことはなかった。たとえば、哲学者と医者の両方が、規則正しい食事と運動を薦め、性行為の適切な時期について助言を与える手引きを書いた。だがこれらは、過剰を避け節度を備えた生活を送るための技《アート》を論じた文章だったのである。

プラトンにとって自己統御は、人間自身の欲望や快楽を打ち負かす積極的な闘いだった。実際のところギリシャ人は、欲望に対する反発的態度を有していた。[38] それでもなお要点は、欲望を根絶することではなくそれに気づくことであり、最も重要なこととして、潜在的に暴力的あるいは自己破壊的であるいかなる欲望に対してもコントロールを養うことだった。アリスティッポス[4]が言うように、「最善なのは快楽を断つことではなく、それに打ち負かされることなく抑え込むことである」[39]。

前章で私たちは、今日の有力な見方、経済学が受け継いだ遺産が、いかに欲求には限界がなく、問うことができず、可能な限界まで追求され

35 Castoriadis, "Greek and the modern."
36 Foucault, *Use of pleasure*, 36.
37 Foucault, *Use of pleasure*, 57.
38 Foucault, *Use of pleasure*, 64–66.
[4] ソクラテスの弟子で、快楽主義を主張するキュレネ派の祖。
39 Diogenes Laërtius, *Lives of eminent philosophers* (Cambridge, UK: Cambridge University Press, 2013), book 2, pp. 8, 75.

るべきと語っているか、また、それらを満足させるため私たちは可能なかぎり生産すべきと語っているかを見た。他の何ごとも、自由、すなわち欲望を追求する自由と衝突する。ギリシャ人は全く違った見方をした。自由──自由意志の独立としての自由ではなく、快楽の支配からの自由[40]──をもたらすのは、自己抑制だった。コントロールは欲望の断念や否定を意味するのではなく、反省と抑制のことであり、それこそが指導者に必要な資質だった。プラトンの見解において、悲劇の中の暴君のような危険な支配者は、自分自身の情熱を抑えることができず、その結果権力を濫用し、臣民たちに暴力をふるうほうに傾く。賢明な指導者は、第一に自分自身の主人であり、その自己支配が、他者に対する支配を節度あるものにする。[41]

フーコーを読んでいて私は、私自身が自己制限や節度に魅惑されるのは、人間形成期における自分の育ちと古代ギリシャへの没頭の産物であることに思い当たった。子どもの頃に読んだ『オデュッセイア』や『イーリアス』の神話や伝説の道徳が、私自身の道徳構造に影響していた。こうした道徳や物語が、自分たちの住む世界や生み出しつつある社会に

40 Laërtius, *Lives*, 79.

41 Laërtius, *Lives*, 80–81.

ついてのギリシャ人たちの想像を純化していたのだ。

限界の形而上学

ギリシャ人は自分たちの社会的・個人的な現実を、世界と宇宙に投影した。シーフォードは、紀元前6世紀初期のアナクシマンドロスの哲学において、擬人化された神々のいない宇宙という概念と、まさしく貨幣を思い起こさせる、一元的で、すべてに浸透する、抽象的・超越的な実体という概念を最初に見出すことができるのは決して偶然でありえないと論じている。アナクシマンドロスはミレトスという都市の出身で、そこはおそらく最初に貨幣が行きわたった社会だった。別の言い方をするなら、哲学者たちは宇宙の上に、社会的限界と限界をもたない貨幣の力の間の相克を投影していた。紀元前6世紀のピタゴラス派は、宇宙は無限なるものを限界づける過程として生じてきたと論じ、限界を形而上学のレベルで特権化した。[42] アナクシマンドロスにとって、すべてのものは

42　Seaford, *Money*.

限りないものから来て限りないものに帰る。各々の存在は限界に従属し、無限なるものに帰る。それから1世紀半ののち、限界は無限なるものをコントロールすべきであるとプラトンが論じ、アリストテレスが無限性を弾劾し限界を擁護するに至った[43]。

私は、ギリシャの存在論は限界性の上に打ち立てられ、私たちの存在論は無限性の上に打ち立てられていると主張しようとしているのではない。マルサスに関して示したように、事情はそれよりはるかに複雑だ。マルサスの言う限界をもった世界は、限界をもたない欲求の結果だった。再分配が問題となったところで限界が呼び出され、いざ拡張が問題となれば無限界性が求められる。しかし、ギリシャ人が限界と限界をもたないものの間に見出した独自な関係は私たちの見方と異なり、この違いが光を投げかけてくれる。

ソクラテス以前の哲学者たちは、世界を、限界をもたないものとして思い描いた。アナクシマンドロスは、すべてのものの基本的実体は無限性（アペイロン）であると言い、彼にとってそれは限界をもたないものを意味していた。ヘラクレイトスは、コスモスを不断の変容の中にある永

43 Seaford, *Ancient Greece*, 8.

遠の火として見た。両者はまた、それぞれ、平衡をとる行為あるいは諸力の相殺によって限界を課す、コスモスの原理が存在すると想像していた。[44]同じように、初期のピタゴラス派は、世界を対立物から構成されるものと見なした。その最も基本的な対立は限界と限界をもたないものの間にあり、限界は限界をもたないものより優位で、宇宙論《コスモロジー》とは限界なきものを限界づけることだった。

実際、人間の文化が広く一般的におこなっていることは、芸術作品の例で私が議論したように、限界なきものを限界づけることだ。いかなる秩序づけも、どんな創造も（絵画、立法、家具の製作）、限界なきものを限界づけることを必然的に伴う。この事実が、新たに貨幣が普及したギリシャの社会で、初めて人間が生み出した限界なきものがポリスを破壊する脅威をもたらしていた中で、特別の重要性をもっただけのことである。[45]ソロンは、目に見える、あるいは容易に理解できる限界はないという考えを受け入れたが、しかし、哲学者たちが言う通り、権力に限界を課す何か普遍的な力があると考えていた。ギリシャ人は自らのコスモスに、限界を課す力、現実であり現存していると彼らが見なす実在を投影した。

44　リチャード・シーフォードは、アナクシマンドロスとヘラクレイトスに関する私の質問に答えてくれた。

45　Seaford, *Ancient Greece*, 8.

限界なきものに宇宙論《コスモロジー》は、無限のものに劣らず現実的な何かによって、限界を課すことだった。

ここで脇道にそれることを許していただけるなら、ギリシャの存在論と文化のこの側面は、人類学者が研究してきた狩猟採集民の平等主義的社会と共通の特徴をもっている点に触れておきたい[46]。これら狩猟採集民もまた、無限性の中にある限界の世界で暮らしている。彼らは自然を限界をもたないものと見なし、しかし、その世界に限界をもって応じている。ギリシャ人のように彼らは、資源や権力の蓄積を調整するために、成功した猟師がすべての獲物を分かち合い消費することを求め、蓄積することを許さない制裁などの制度を生み出した[47]。類似性を誇張しすぎるのは危険かもしれないが、両者はまたアニミズム的な宇宙観を共有している。ギリシャの神話で自然は擬人化され、神々は動物になり、人間と交わる。古い伝統的社会では、人間と非人間の間に境界はない。そのことに私たち近代人は、人新世と自然の終焉に関する理論の中で最近やっと気がついた。興味深いことに、古代人にとってこの社会‐自然世界の統一は、果てしない搾取への招きではなく、傲慢《ヒュブリス》の危険を心得たうえ

46 James Woodburn, "Egalitarian societies," *Man* 1 (1982): 431-51; Marshall Sahlins, *Stone Age economics* (Chicago: Aldine, 1972)〔マーシャル・サーリンズ(山内昶訳)『石器時代の経済学』法政大学出版局、2012年〕.

47 David Graeber, *Fragments of an anarchist anthropology* (Chicago: Prickly Press, 2004)〔デヴィッド・グレーバー(高祖岩三郎訳)『アナーキスト人類学のための断章』以文社、2006年〕.

での慎重さが求められる理由と見なされた。

死と限界

言うまでもなく死は究極的限界であり、限界に対する人間の恐れが死ぬことへの恐れと関連しているという考えも的外れではない。宗教的社会と異なり、ギリシャ人は死の深淵を美化しようとも、厄払いしようともしなかった[48]。ギリシャ人にとって「根本的なものは、死すべき運命である。……死すべきものとは人間のことで、それが人間であるということだ[49]」と、カストリアディスは書いている。ギリシャ人は儀礼を通して生と死を意味づけた。秘儀的イニシエーションについてはまだまだ知られていないことが多いが、それがテロス（完成、終わり）と呼ばれていたことは重要だ。葬儀のような死の儀礼は、死の主観性と、親族が経験している潜在的に際限ない苦痛に限界を課すものだった。死という肉体的限界と同じように、ギリシャ人は儀礼を通して彼らの社会的限界を経験

48 Cornelius Castoriadis, *What compounds Greece: Volume A from Homer to Heraclitus*（in Greek）（Athens: Kritiki, 2007）.
49 Castoriadis, "Greek and the modern," 117.

し、再生産した。多くの悲劇が、儀礼の逸脱、限界をもたない貨幣の力による社会的限界の逸脱に焦点を当てていた。[50]

今日の多くの人々と同じく、ギリシャ人は死後の幸せな世界を信じていなかった。死者の世界ハデスの中では、英雄たちさえ悲惨な影の中に縮小されてしまう。[51] ハデスは死の空虚を表出した。しかし、死の究極的限界を受け入れ、乗り越えられない限界を乗り越えようとする欲望から解放されることで、ギリシャ人は、自分たちの生を意味づけるのは自分たちだ、ということを受け入れることができた。意味を、神々や死後の世界に求める必要はない。ホメロスの英雄たちは、もしもある行動を選んだら自分が死ぬだろうことを知っていて、なお自らの死の条件を選び取り、そのように行動する。そうすることが、逆説的に、自由と意味づけの――自分自身の死の意味を含む――究極的行為なのだ。[52]

さて、ギリシャの歴史には、いくつかの時期に死後の世界を強く信じていたという証拠もたくさんあるから、カストリアディスに即した私のこうした解釈は誤りかもしれない。彼らは死後の生命に関わる儀礼さえもっていた。私がカストリアディスの研究を引いたのは、限界の文化が

50 Seaford, *Money*.

51 Castoriadis, *What compounds Greece*, 158.

52 Castoriadis, *What compounds Greece*, 185.

いかに死を受け入れる文化でなければならず、私たちの文化のようにそれを隠し、あるいは押し退けようと試みる文化でないかを考えることを助けてくれるからだ。限界がないことを危惧したギリシャ人と異なり、今日の私たちは、自分が限界に近づいているのではないかということを第一に気づかっている。死は私たちにとって究極の恐れであり、限界であって、それを受け入れたり対処したりする能力を私たちは失ってしまった。

5年前、11月17日——アテネで学生が立ち上がり、軍事政権の終わりの始まりとなった日——の記念講演の途中、母が演壇で脳梗塞に襲われ、突然亡くなったとき、私はそのことを身にしみて感じた。予期せぬ死を前に、自分にはこの、想像はできても真に理解はできない喪失に向かい合わせてくれる儀礼も社会構造もなかったことに気づいたのだ。想像を絶する限界に対処できない私たちの唯一の反応は、そんなものは存在しないと考えることだ——それが実際に現れるまで。とすれば、脱魔術化されたはずの私たちの世界で、私たちがいまだに不死を幻想し、健康や「死の隠蔽」に執着していることは偶然ではない。[53] この幻想が、無限の

53　Castoriadis, "Greek and the modern," 117–18.

進歩と成長という考えの中に移し替えられてきた。

　さらに、自死に対する非合理的なまでのタブー視も驚きではない。古代世界では、自死は何か誇り高いものでありえた。それに比べ、次々に襲ってくる死の脅威に主人公が直面し、しかもそれは単に危険を乗り越え永遠に幸せになりましたというためだけである標準的なハリウッド映画の筋書きを考えてみるといい。神々が姿を消してしまったおかげで意味が失われ、意味を見出すことができなくなった私たちの文化は、意味の探求を死に対する闘争の中に置き換えた。まるでそれ自体に意味があるかのように。

　成長のための成長は、こうした心理社会的衝動のまた別の表出に他ならない。西洋の社会は平均寿命を社会的福利《ウェルビーイング》の究極的指標と見なし、それを成長の正当化に用いる。私たちは、できるかぎり長生きするよう、自分自身の面倒を見るべきだと考えられている。しかし、なぜだろう。なぜなのか、本当に知っているわけではない。私たちにとっては生きることそれ**自体が**生きる意味であり、だからそれを無限に引き延ばそうと試みる。一方ギリシャ人は、「自分の命にしがみつき、自然によって定められた期間を遅らせようと試みる者」[54]を諌《いさ》めた。そこにある考えは、「生命を時間的に可能なかぎり長くしたり、業績において可能なかぎり高くしたりするのではなく、課せられた限界の中で生を有益で幸せなものにしようとすることだった」[55]。死によって運命づけられる限界の中で行為するこの自由は、あらゆる可能な力を動員して自然を抑え込み不死になろうとする、つまりは人間でないものになる、その権利としての自由という私たち現代人の考えと違っている。

『文化への不満』の中でフロイトは、私たちはそれぞれ生の衝動と死の衝動をもっていると論じた[56]。飢え、性、愛は生の本能である。同時に私たちは、いまだ周囲の環境からの分離を実現していなかった幼児段階へ戻ろうとする本源的希求をもっている。それが自分自身の解消への欲望、死の本能であり、それは他者を破壊しようとする攻撃的本能に置き換えられるとフロイトは示唆している。文明はこの無限性への願望に限界を課すが、しかし私たちは自分の本能的行動を制限しなければならないことで苦しむ。マルサスに影響を受けてフロイトは[57]、私たちが自らをコントロールするため制度化し、内面化した制限は、これらの本能を解

54　Foucault, *Use of pleasure*, 104–5.

55　Foucault, *Use of pleasure*, 105.

56　Sigmund Freud, *Civilization and its discontents*（New York: Norton, 1962）. 私の議論にフロイトの論が関連することに注意を向けさせてくれたアントニオ・ヴェルダスカ－カルドーソに感謝する。

57　神経衰弱症を文明を生み出す条件としての性的欲望の抑圧に結びつける着想をフロイトがマルサスから得ていたことに関しては、Mayhew, *Malthus*, 153 をご覧いただきたい。

き放ったときもたらされるだろう破壊と同じぐらい、苦痛の原因として重要だと結論づけた。フロイトの見方では、本能の抑圧は私たちの不満を太らせる。しかしギリシャ人は、欲望と死の関係、本能と制限の関係を、実際に精神分析の進化を先取りする違ったやり方で見せてくれている。

ギリシャ人もまた、私たちの過剰なエネルギーに潜在的破壊性を見ていた。しかし、マルサスやフロイトと異なり、ギリシャ人は自己制限を苦痛と考えなかった。彼らは制限を正常なこと（また、生の一部としての苦しみ）と見ていた。私たちが自分の本能を抑制し加工しなければならないのは自明のことであり、それは文明の代価である。私たち現代人にとっての問題は、死の本能を抑圧してきたことではなく、死を拒否する中で、暴力を通してしか死に反応できないことにある。私たちは自然を従わせる、あるいは、死を他者に転嫁することでそれを克服しようと試みる。ギリシャ人は死を受け入れ、自分たちの暴力的本能を受け入れることで本能の主人になろうとした。

明らかなように、このことはフロイト精神分析の課題にぴったり符合する。精神分析は、本能に対する私たちの闘争が決して決着しないことを受け入れる。私たちの欲望は矛盾していて、潜在的に暴力的である。私たちは、すべての苦しみから解き放たれて聖人になることはできない。しかし、もっとよく自分自身を理解し、自身の欲望と、その抑圧がもたらす結果を受け入れることはできる。そして、恐怖心なしに幻想と欲望を解放し、意識的に私たちの限界を選ぶことができる。文明には破壊的衝動が組み込まれているが、マルサスや多くの人々が考えたのと対照的に、それはコントロールできる。欲求を反省し、過剰な欲求にうまく対処するのを助ける仕組みを制度化することで、破滅の代わりに苦しみを少し減らすことができる。個人のレベルではそれが精神分析の使命であり、カストリアディスの論に従うなら、共同体のレベルでは、それが民主主義の役割なのだ[58]。精神分析は私たちが欲望や死と折り合いをつけ、恐怖を克服するのを助けてくれる。暴力に麻痺させられ、あるいはそれに向かうのではなく、生きるのを助けてくれる。ギリシャ人について言うなら、大切なのは創造的欲望を破壊的欲望から区別し、欲望を解放し、それを作り変えるよう努めることだった。

58　Cornelius Castoriadis, *Crossroads in the labyrinth*（Cambridge: MIT Press, 1984）〔コルネリュウス・カストリアディス（宇京頼三訳）『迷宮の岐路』法政大学出版局、１９９４年〕.

私の好きな寓話に戻るなら（ひょっとして、映画をご覧いただくよう説得し切れていないかもしれないので）、1900は、限界のない都市でよりも、限界の中でのほうが自分の情熱をうまく表現できると思ったがゆえに、船に留まったのだろうか。それとも、そこを離れて都市に行きたかったにもかかわらず、恐怖や罪悪感のため船に囚われたままだったのだろうか。自己の探求に没頭して彼自身の限界を選んだのか、それとも、過去によって限界づけられていたのか。自己における探求として個人の自由を捉える見方は、ロビンソン・クルーソーの自由とはかけ離れている。破壊的で無意味で自己抑圧的な活動で空白を埋めていく、クルーソーの狂気じみた行為とは別世界である。

限界の文化の取り戻し

西洋の社会は、特に考えられないほど自己破壊的だった二度の世界大戦以降、重要な制限を熟慮し制度化してきた。法律と制限に関する私たちの歴史は、橋、ダム、航空機、コンピュータの歴史と同じく西洋の進歩の歴史である。第二次世界大戦以降、しばしの間、西洋の国々は、富裕層への課税といった今日では考えられなさそうなやり方で不平等や私的財産の蓄積を制限し、労働時間や環境破壊に制限を加えることに専念した。核兵器拡散や新兵器開発を制限し、自動車はどれくらい速く走ってよいか、どこで、いつタバコを吸えるか、どれくらいまでなら食品に有害物質を加え水質を汚染するのが許されるか、刑罰を受けることなく互いに何をしてよいか、制限してきた。

しかしながら、１９８０年代以降の失地回復主義的傾向は、お金の流れや蓄積に対する制限、環境や社会的な保護のための制限を取り払う規制緩和へと向かった。地球温暖化は、制限を設けないことによって生じる自滅を浮き彫りにしている。しかし、権力者やその追従者たちの多くは、この傲慢《ヒュブリス》の報いに対して否認をもって応え、ますます規制緩和の努力を倍加させる。自然保護区での採掘から、より汚染を広げる石油や石炭の採掘、日曜日の労働と商売に至るまで、残っている制限を片っ端から撤廃する。すべては無制限な拡大を追求するためであり、無意味が意味を求めるためなのだ。

　私たち現代人にとって、今ほど限界の文化を必要としていたことはない。同時に、今ほど限界に敵意を抱いていたことはない。いかに限界を克服するかの自己啓発書から、「限界なし」のエクササイズルーティーン、さらに、突破できない限界なんてないと告げる歌や広告に至るまで、私たちの文化は限界に執着している。しかし、ギリシャ人が心奪われていたようにではない。ブラッドリー・クーパー主演の２０１１年のＳＦスリラー映画『リミットレス』が、その例を見せてくれる。クーパーは、執筆の壁にぶつかり、ガールフレンドに去られて苦しむ挫折した作家を演じている。ある一日を切り抜けようと、新しい向知性薬にのめり込む。数時間後、クーパー演じる人物は小説を完成し、それはたちまち成功をもたらし、さらに成功が続く。しかしドラッグの落とし穴は、それを続けるためにはもっと多くの薬が必要になることだ。それがなければ彼は崩壊し、死んでしまうだろう。

　私はこの映画がターゲットとしている観客より年上の世代に属していて、映画を眺めながら、ある種の天罰か救済への道を待っていた。ところが、死ぬこともドラッグをあきらめることもなく、クーパーは限りない薬の補給を確保し、副作用を切り抜けることを学び、ガールフレンドを取り戻し、合衆国上院議員、さらには大統領候補にまで上りつめる。薬漬けの主人公は死体をまたいで薬を手に入れ、インチキを弄して国中で一番権力をもった者になる。エリュシクトンの神話が限界の文化の理念的神話であったとすれば、この限界をもたない現代の王の身勝手な物語は、何としてでも限界を克服することに執着する文明の病理を明らかにしている。節度の欠落を自慢し、どんな代価を払ってでも石炭や石油を手に入れたいと願い、もっとたくさん伐採し鉱物を掘るためアマゾン最後の先住民を消し去ろうと手ぐすねを引いている、新たな種類の支配者たちのマッチョの病理。

もちろん、ギリシャ人も完璧にはほど遠いし、彼らの歴史はほとんど平和的でも理想的でもなかった。私たちはギリシャ人に還ることはできないし、還るべきでもない。また、一つの限界の文化をもたらした個別の場所と時間の条件を再生産することはできない。現在の条件の中で、自己制限的な真の民主主義を打ち立てるために、「私たちはギリシャ人よりも、そして近代人よりも、さらに遠くまでいかなければならない」[59]。私たちは、彼らがつくったのとは違う形で何とか制度化してきた限界に、誇りをもってよい。それにしても、今日の進歩とは、今までにも増して、成長して前に進むことではなく止まることを意味しているかもしれない[60]。ヴァルター・ベンヤミンが第二次世界大戦直前に書いたように、「急ブレーキをかけるべき」ときだ。

　兆しは好ましくない。しかし、強く求めていく以外に道はない。

59 Castoriadis, "Greek and the modern," 119.

60 Susan Buck-Morss, "Sometimes to progress means to stop, to pull the emergency brake," Committee on Globalization and Social Change, Graduate Center of the City University of New York, 〈https://globalization.gc.cuny.edu/2012/01/susan-buck-morss-sometimes-to-progress-means-to-stop-to-pull-the-emergency-brake/〉.

第5章　限界の限界

これまで私は、限界を求めることを、自由、公正、持続可能性を希求することの一部として論じてきた。この章では、私の議論の大まかな筋道をたどり、限界を論じる自分自身の立場の限界を検証してみたい。ここでの叙述は、これまでの章よりさらに宣言的なものになるだろうし、読者には、私の宣言を確実な事柄というより挑発的なものとして扱っていただきたい。次の節は、制限を求める私の立場を擁護する中で直面したいくつかの疑問への当座の答えである。

誰を制限するのか

私は、1900と同じように、自分自身に課すことができる制限について たくさん語ることがあった。しかし、一つの集団が他の集団に負わせる制限に関しては、それほど語ってこなかった。マルサスのように、権力をもった人々は、しばしば、公共の利益の名においてより弱い集団——貧しい人、外国人、肌の色が違うと思われる人、移住者など——を選び制限を課す。「他者」を制限するためのこうした主張は、暴力にまで至らないとしても、制限を課す側による権力や統制と結託して進む。また、自分たちの空間を他所者の侵入から守るために制限を設けようとする側が、弱者や周縁化された人々であることもある。多国籍企業の伐採から聖なる森を守ろうとするコミュニティを思い浮かべてほしい。ここでは、暴力は制限の名の下におこなわれるのではなく、制限を守る人々に対して無制限の拡大を支持する人々によっておこなわれることが多い。[1]

どのように私たちは、制限に対する合理的主張と非合理的主張を区別できるだろう。一つのアプローチは、公正さや権力に焦点を当てることかもしれない。限界に対する主張は権力をもつ側から来ているか、もたない側から来ているか。公共の利益に反し個別の利害を守るために制限を課すのは好ましくない。また、制限を求める人々は、彼らが取り入れる制限に従って自分たち自身をも制限することを望んでいるだろうか。

しかし、何が公共の利益を構成し、誰が含まれ、何が公平なのか、誰がより多く権力をもち誰がもたないかに関して、異なるグループは異なる見解をもっているかもしれない。国境内にある神聖な森を守りたい先住民たちは、ニンビー（Not In My Back Yard：わが家の裏庭には御免）主義なのだろうか、それとも公共の利益を守る闘いに関与しているのだろうか。また、それが公共の利益を求める闘いだとして、絶滅危惧種を守るための保護区や規則を嫌い、あまりにも強力な政府と対立していると考える人々の闘いについてはどのように考えればよいのか。さらに、「私たち」が私たちに負わせる制限さえ、その制限を望まない「私たち」の

1　2017年の一年間だけで207人の環境保護活動家が殺害されている。National Geographic,〈www.nationalgeographic.com/environment/2018/07/environmental-defenders-death-report/〉.をご覧いただきたい。環境に関する不正義の世界地図は、環境保護活動家に対して続けられている対立や暴力を記録している。〈https://ejatlas.org/.〉をご覧いただきたい。

中の少数者を抑圧しているかもしれない。こうしたことから抜け出す簡単な道はなく、限界をめぐる実践や言説は常に問題を含みかねない。かといって、それらは制限から逃れる理由にはならない。

何を制限するのか

私の議論のもう一つの問題は、私が頭の中で正確にはどんな限界を想定しているのかを明示してこなかったことだ。リベラルな民主主義にはすでに法律や制限がある。私はすべてのものに制限を設けたいのだろうか。クリーンエネルギーや教育といった良いものにも制限をかけたいのだろうか。もしそうではないとしたら、何を制限するのだろう。

実際、私は、慎重さの文化、つまり制限しないよりも反射的に制限するほうに傾きやすい文化を広く求めてきた。あらかじめ注意が必要な領域の一つは、テクノロジーである。私たちは知識の探求を止めることはできないが、しかし、テクノロジーの無制限の追求が問題ないかのように装うことは、もはやできない。私たちの社会は、知識それ自体を制限することなく、知識が向かう方向を制限する制度を備えなければならなくなるだろう最初の世俗的な社会である。[1] どのようにそれを成し遂げることができるのかを言うのは難しいが、しかし、そうしなければならないと認識することは、決定的に大事な出発点だ。

古代ギリシャあるいは平等主義的社会と同じく、私たちの場合もまた、本当に制限しなければならないのは貨幣や権力の無制限な蓄積である。それ自体が権力の追求と結びついた無制限な蓄積――経済成長――が、エコロジカルな面での自己破壊によって私たちを脅かしている。ギリシャ人は私たちが直面している類の破滅的な環境破壊には直面しなかったが、しかし、貨幣の破壊力ははっきり認識していた。ソロンの時代がそうであったように、不平等や市民の分断をもたらすのは、少数者の手に貨幣が蓄積され、それを多くの人に利子をとって貸すようになることだ。内部の不平等はそこから転じて外部への拡張に転換し（まさに、マルサスが呼びかけた成長）、究極的にはエコロジカルな崩壊に至る。

今日の経済改革に関するラディカルな提言の多くは、貨幣の蓄積と到

[1] 制限をつける理由づけを、宗教的伝統に頼ることがない社会という意味。

達範囲を制限する試みとして読み取ることができる。たとえば、最高賃金の設定[2]、高所得・資産・遺産相続への課税[3]、民間銀行の貸出制限[4]、汎用マネーの限定[5]、労働時間の短縮[6]、ロビー活動・政治活動への個人資金の制限などである。貨幣の力の増大を減速化させ、それが及ぶ範囲を限定することは、資源利用と汚染を減速させるだろう。加えて、炭素排出量のような汚染源や、化石燃料のような実害をもたらす資源の取得や使用に対する、強制的な制限を取り戻すのも望ましいかもしれない。物質的欲求の制限――再形成と言ったほうがいいだろうか――は、そうした変化に含まれる必須要件であろう。

　制限はまた、権力の集中を禁じるために、より深い民主主義を要請する。役職の任期の短縮や交代、抽選による選出（陪審人の選出に似た形）の増加、市民全員による直接参加など。アテネの人々が実現したように、実効的な参加には時間と経済的な自由が必要であるから、こうした改革の必然的産物として、ベーシックインカムの保証や公共サービスの無料化などの考えが出てくる[7]。

　気が触れたと思われないよう、提案のリストはこれくらいにしよう[8]。

2　Sam Pizzigati, *The case for a maximum wage*（Cambridge, UK: Polity Press, 2018）.

3　Thomas Piketty, *Capital in the twenty-first century*（Cambridge: Harvard University Press, 2014）〔トマ・ピケティ（山形浩生ほか訳）『21世紀の資本』みすず書房、２０１４年〕.

4　Mary Mellor, *The future of money: From financial crisis to public resource*（London: Pluto, 2010）.

5　Alf Hornborg, *Nature, society and justice in the Anthropocene*（Cambridge, UK: Cambridge University Press, 2019）.

6　Juliet Schor, "Work-sharing," in *Degrowth*, ed. Giacomo D'Alisa, Federico Demaria, and Giorgos Kallis（London: Routledge, 2014）.

7　David Raventós, *Basic income: The material conditions of freedom*

しかしなお、こうした提案が正気でないように見えること、制限を想像してみることすら常軌を逸しているかに見えることこそが、私たちの置かれた悲惨な立場を告発しなければならない理由を示している。

自己制限の政治

私たちの現在の政治状況を考えてみると、上に挙げた変化はユートピア的に見えるかもしれない。実施への実行可能な道が欠けていることは、制限を求める私の立場の欠点に見えるかもしれない。しかし、議論の正しさや倫理的価値は、それが政治的に妥当か、あるいは実施可能かどうかに依るものではない。政治的変化は、意志と偶発的出来事の所産である。限界の文化とその制度化が可能かどうか、もし可能ではないという前提で始めるなら、決してそれを目にすることはないだろう。

以前の社会では御法度《ごはっと》だった事項が今日私たちの社会で許されていることもあるし、その逆も然りだ。強姦や家庭内暴力、スピード違反や公

(London: Pluto, 2007).

8　より詳しくは、Kallis, *Degrowth* をご覧いただきたい。

共の場所での喫煙まで、他の文明では受け入れられている、あるいは受け入れられていた振る舞いを、私たちは制限している。歴史を振り返ってみれば、構造的な変化は見えても、今起こっている変化を見ることはできない。ギリシャ人は限界の文化をすっかり計画していたわけではないが、しかし、その中で暮らしていた。彼らの文化や制度は、物質的な基盤（貨幣の発明）のもとでの、宇宙論的、哲学的、倫理的、政治的、技術的な共進化の結果として生まれたものである。私たちの基盤が、解体しつつあるエコロジーと気候の崩壊であるとすれば、私たちにも新しい理解の仕方が現れ、新しい実践とともに共進化すると予想すべきだろう。「制限主義《リミタリアニズム》」[9] 哲学の萌芽や、制限を呼びかける強い精神的弁明者であるフランシスコ教皇の回勅「ともに暮らす家を大切に」[10]は、思想の領域で何かが起こっていることの証だ。自己制限の方向での共進化は、新しい制限をめぐる政治的闘争と制度化、新しい哲学的・科学的概念、新しい芸術的・文化的形式、新しい考え方、新しい生き方、新しい希望のあり方、新しい儀礼が一緒になって現れてくるだろう。しかし、これを推し進めるのは誰なのか。

9 Ingrid Robeyns, "Having too much," in *NOMOS LVI: Wealth. Yearbook of the American Society for Political and Legal Philosophy*, ed. Knight and M. Schwartzberg (New York: New York University Press, 2016) をご覧いただきたい。哲学者イングリット・ロベインスは、過度な富裕は道徳に反することがあると見なし、富の制限を基本的立場とする「制限主義者の教義」を発展させた主要人物の一人である。私のこの場での「制限主義」という用語は彼らのものより広く、厳格ではない。私は富だけではなく権力や資源利用の制限に基本的に賛成の立場を思い描いている。

10 Pope Francis, *Praise be to you. Laudato si': On care for our common home*, Our Sunday Visitor (San Francisco: Ignatius Press, 2015)〔教皇フランシスコ（瀬本正之、吉川まみ訳）『回

簡素な生き方の知恵を理解している人々の、それなりに数の多いマイノリティのグループがあるかもしれない。[11] 限界と充足についての共通の認識が広く見られるし、今日広く行きわたった生き方の中では周辺に追いやられてしまっていても、そうした認識を、宗教的・精神的教えの中に見出すこともできる。[12] 現在それが無視されているのは、限界の中で生きることが、拡張しようとする現在のシステムが及ぼす避けがたい命令と衝突するからでもある。たとえば、法的介入は、何時間働くかを自分で制限しようとする人々の能力を剝ぎ取ってきたし、広告は、どれくらい消費するかを人々が自分で制限しないよう画策してきた。[13] ダウンシフトする人々は社会的に周辺化される危険を冒さなければならず、貨幣が支配する社会の中で無制限な権力を蓄積してきた人々によって翻弄されてきた。これらの事情が示唆しているように、自己制限は、個人や小集団の変化の課題ではありえない。人々が限界で生きるのを妨げている構造を変えるには、全般にわたる政治的展望がなければならない。

自己制限のプロジェクトは、労働者階級と、自分自身の選択によるわけではない制限を受けながら生きているすべての人を抜きにしては不可

勅　ラウダート・シ――ともに暮らす家を大切に』カトリック中央協議会、2016年〕.

11　たとえば、一つの世論調査は、スペイン人の15パーセントが脱成長に賛成であることを示している。Stefan Drews and Jeroen van den Bergh, "Public views on economic growth, the environment and prosperity: Results of a questionnaire survey," *Global Environmental Change* 39 (2016): 1–14. をご覧いただきたい。

12　Westakott, *Wisdom of frugality* をご覧いただきたい。ウェスタコットは、異なる場所、異なる時代に賢者たちが質素な暮らしの利益を強調してきたのに、なぜそれが優勢にならなかったのかを検証している。

13　André Gorz, "Political ecology: Expertocracy versus self-limitation," *New Left Review* 202 (1993): 55–67.

能である。しかし、現存のシステムの限界以下の暮らしで日々苦しんでいる人々、またマルサスや緊縮政策の偉そうな説教において物を受け取る側にいる人々からすれば、限界の名において結集することは難しいし、もっといい状況にある他の人々がなぜ進んで限界の内側で生きることを選ぼうとするのか理解するのはさらに難しい。エマ・ゴールドマンが見たように、罠に落ちないために労働者階級は、搾取のシステムに油をそそいでいる欲求に対して、それが満たされるべきだと主張するのではなく、それを抑える術を身につけなければならない。抑圧から解放されるために自己を制限することは、不正な制限を受け入れることとは違う。いかに、あるいは果たして、制限を呼びかける緑の党やその他の人々は、労働者階級との協力関係を築けるだろうか（それは、緑の持続的成長のための協力関係ではない）。それは、抽象的な議論ではなく、そうした協力関係を築き上げようとする具体的な努力との関わりの中でしか答えられない。

ゴルツは、１９１０年にイギリスで決められた新しく厳しい規制が、職場はフルタイムの労働者のために確保されるべきこととして、自分はどれくらい働くかを自分で決める自由を労働者から取り上げた経緯を説明している。

限界、分かち合い、平等

マルサス的限界は不平等と表裏一体である。マルサスは貧しい人々に、すべての人に行きわたるほど十分にはないのだと告げた。それと対照的に、自己制限は平等が前提である。パイを大きくしないと決めたら、それをもっと平等に分けようという訴えは強くなる。同様に、もしも人々が限界を受け入れるなら、平等が必要になる。シーフォードが指摘するように、「空が個人所有のジェット機で溢れていたら、人々は毎年海外旅行に行くことをあきらめないだろう……。自己制限は……（戦時中に起こったように）すべての人間に制限が課されるとき、すなわち、今は馬鹿げて聞こえる『私たちはみんな一緒のところにいるんだ』というのが現実になったときにのみ、広く受け入れ可能になるだろう[14]」。

　マルサスの言う限界は、囲い込みを説明し、容認する。自己制限はそうではなく、コモンズを分かち合うことを正当化する。平等主義的な社

14　Richard Seaford, "Green Plato," review of Melissa Lane, Eco-republic, and W. Ophuls, *Plato's revenge*, *Times Literary Supplement*, May 11, 2012.

会に関して私たちが知っているように、分かち合いは権力の集中や地位をめぐる競争を阻止する。また、余剰が蓄積されるのではなく、共有され、消費されるのであれば、拡大することはないだろう。つまり、制限とは、意図的であろうとなかろうと、分かち合いの一つの結果なのだ。マルサスは、すべての人々がまともな分け前に預かるほど十分にはないのだと主張した。自己制限の命題は、そうではなく、公平な分け前を得るために私たちが自分に制限を課したときにのみ、すべてに行きわたるだけ十分あるということだ。制限なしに十分あるということは決してない。また、分け合うことがないときには、常に他より少ししかもたない人がいて、自分は十分もっていないと感じる。

限られた資源を分かち合うための自己制限は、「コモンズ」と呼ばれる組織の理論と形式の本質をなしている。コモンズの使用者は他者の取り分を無制限に使ってタダ乗りするだろうと論じたギャレット・ハーディンら新マルサス主義者とは反対に、実際のコモンズを研究した学者たちは、いかに利用者たちが、そうしなければどうなるかをわきまえ、協力してコモンズの利用を制限する集合的システムをつくりあげるかを示してきた。[15]

制限と自由

制限は自由を侵害するだろうか。自由主義《リベラリズム》は、他人を傷つける原因にならないかぎり、個々人は何をするのも自由であるべきだと主張する。しかし、コモンズでタダ乗りする個人は他者の自由を侵害している。化石燃料が尽きかけているグローバル化した複雑な社会では、私たちが何をしようと、ほとんど、遅かれ早かれ、グローバルなコモンズの中のタダ乗りとして他者を傷つける（炭素排出量を考えてみよう）。

自由主義《リベラル》あるいは自由至上主義《リバタリアン》と反対に、「制限主義《リミタリアン》」のアプローチは、慎みと節度という原則から始まる。私は、それが個人の自由に反するものではないと論じてきた。個人の自由とは、やりたいことを何でもできる自由ではなく、やりたいことから自由になることだ。制限主義者が言う意味での自由は、欲望を妨げられることなく追い求めることでは

15　Garrett Hardin, "The tragedy of the commons," *Science* 162, no. 3859 (1968): 1243-48 をご覧いただきたい。ハーディンの論文はすべての人間が自由に使える放牧地のイメージから始まり、各々の牛飼いは自分の牛を増やし、ついに牧草地は過度に食い尽くされ破綻するに至る。論文の中で書いているように、ハーディンはこの寓話を、カリフォルニア大学サンタバーバラ校のキャンパスでパーキングメーターが取り払われた後、駐車場所を見つけられなくなったときに思いついた。ハーディンはマルサスのファンで、彼の描く「悲劇」は、マルサスの無制限な人口増加の寓話を繰り返している。彼のモデルの欠陥は、限界をもたない欲求というマルサスの前提と同じで、限界をもたない利益の追求の否定的な結果に気がついた人間もなおその追求を続けるだろうというものだ。しかし、それ

なく、欲望について意識的に反省し、それを飼いならし、解放することなのだ。

それにしても、欲望は悪いものでそれを制限すべきだなどと、いったい誰が言おうとしているだろうか。自由主義者が抱くこうしたありがちな懸念に対し、私たちの答えはいつもこうだ。「誰もそんなことは言っていない」。かといって、何も制限されるべきではないということではない。そうではなく、それを判断し自分に制限を課すのは私たち自身だということだ。

国家を含むあらゆる共同体のプロジェクトは、一様に規則と自己制限を含んでいる[16]。参加者は規則を内面化しなければならず、そうでなければ、規則の執行にかかる費用によって、統治が不可能になってしまう。統治されている国民は、また同時に、自分自身を統治しなければならない。自由は、あらゆる内的・外的禁止から個を解き放つことを意味しない。そうした制限なしに社会は機能しないからだ。機能している社会では、メンバーは社会が彼らに要求している制限を正当なものと見なしていなければならない。しかし、フロイトが指摘したように、そうした制

と異なり、実際に存在するコモンズの研究者たちの多くが示してきたように、多くの場合（確かにすべてではないが）コモンズの使用者たちはコミュニケーションを交わし、相互に強制可能なやり方でコモンズの使用を制限することに同意する。ノーベル経済学賞を受賞したエリノア・オストロムの仕事、Elinor Ostrom, *Governing the commons*（Cambridge, UK: Cambridge University Press, 2015）をご覧いただきたい。

16 Ostrom, *Governing the commons*.

限がしばしば無意識の中に存在していて、欲求不満や好ましくない行動を絶え間なく引き起こす。法律や禁止は欲望を煽り立てる。私の仮説は、法律についてもっと熟考し、その理屈を自分自身のものとして受け入れるようになれば、逸脱しようという欲望は少なくなるらしいというものだ。しかし、少なくともたまには、逸脱もしなければならない。そうしないと法律が硬直化し、抑圧に至ることもあるからだ（それについて、以下で詳述しよう）。

自律が他律に変わるとき

政府が私たちを集合的に代表し、しかも制限を執行する任を負っているとするとき、テクノクラート的・他律的制限と自律的・自己制限との区別はそれほどはっきりしなくなる。[17] 政府が自らを人々から切り離し、特権階級に有利な制限を設けはじめることがあるからといって、すべての行政的制限が他律的であるということにはならない。もしも政府が人

17　Gorz, "Political ecology."

民の政府であるなら、そのとき行政的制限は人民による制限になる。民主主義が制限を必要とするだけでなく、制限は民主主義を必要としている。

実際、自己制限は、同意された制限の持続を確保するため、一段高いレベルでの制度を要請する。人々は、家族や氏族から、町、地域、国家、国際組織に至るまで組織をつくる。それはスケールの問題だ。一つのレベルでの制限は、制限を無視した者を制裁する権力を備えたより上の権威によって強制されることが多い。たとえば、森のコモンズの使用者は、自分たちの木の伐採をどのように制限するかについて同意に達し、それから、全員がその制限を尊重することを確かなものにするため、集団レベルでの権威やメカニズムを打ち立てる。同じように、気候変動と闘うため、国家は国際レベルでの炭素排出量に関する制限に同意する。

制限のスケールの拡大はタダ乗りをコントロールし、個々人が常に自分の振る舞いに注意していなくてもいいようにする。自分はこれを消費すべきかどうかなどと、絶え間なく気をつかっていたいとは思わない。何を使わないことに自分たちが合意したのか、政府に教えてもらいたい。

しかし、制限が上から来るとき、それは高いレベルの権威によって課せられた他律的なものであるように見える。炭素排出量を減らすよう強制しているのは国連であり、タバコを吸わないよう、また砂糖を摂りすぎないようにさせているのはEUであるかのように見える。

私たちはまた、自分たちに先行する誰かの約束の結果としての制限にも相対している。新しい世代はそれぞれすでに存在している制限を問い直し、適正なものにしていく機会をもつべきであり、そうでなければそれらの制限は専横的なものに見えてくるだろう。しかし、新しい世代は先行者たちの制限を切り捨ててしまう傾向をもっていて、もしそうすれば、どんな制限も持続しなくなってしまう。どの森を守るべきか10年ごとに議論していたら、まもなく周囲の森がすっかりなくなっていることに気づくだろう。

いい両親は、子どもたちが自由に遊べるように境界を設定する。制限がなければ、子どもたちは自分が果てしない世界の中に置かれているように感じ、そこでは自由が恐怖に変わってしまう[18]。しかし、すべての子どもは両親によって設けられた制限に反応し、それを問い直す。そのこ

18　Rebecca Wild, *Libertad y límites: Amory respeto*（Barcelona: Herder, 2009）.

とは避けがたく、時として制限は専横的なものに思われるかもしれない。子どもの成長は、子どもが制限に気づきそれを適切なものにしてゆく過程であり、両親が定めた外部的・他律的権威はその過程に欠かせない本質的な素材なのだ。

かくして、宗教、伝統、教理、儀礼に、カストリアディスが抱いたよりずっと多くの共感を抱く人がいるかもしれない。それらは両親を偲《しの》ばせてくれるものとして、人間共同体が世代から世代へ様々な制限を伝える装置になってきた。カストリアディスが論じていたように、事実これらは過ぎ去った時代の非合理的な制限を永続させる他律的な力となることもありうる。しかし、それはまた、制限をコード化して保存し、制限に含まれるエコロジカルな知恵や気づきの貯蔵庫としても機能する。[19] 森林を保存するために、森林は神聖であると宣言するより効果的なものがあるだろうか。

カストリアディスは、宗教が死の混沌、私たちの限界を超えたものを擬人化し、「タブー、トーテム、アモン・ラー、オリンポスの神々……」さらには、エホバなどと呼ばれる」名前を付け、「人間に自らの限界」

19　Franco Cassano, *Southern thought and other essays on the Mediterranean* (New York: Fordham University Press, 2012).

や「私たちが世界の主人ではないこと」を思い出させてくれることを認めている。[20] しかし彼は、今の時代に私たちは「同時に、それら人間の限界に意識を向けなければならず、……（宗教という形式を含め）自らの責任で意味を生み出すのは私たち自身であること」[21] を強調する。カストリアディスは、制限の持続性を確保するために他律性を「発明する」よりも、絶えず制限を問い直すべきだと考える。私たちは傲慢《ヒュブリス》のリスクを恐れるべきではない。制限を疑問視することで、私たちはそれを破棄したり逸脱したりしてしまうかもしれないが、それは、自由のために私たちが支払わなければならない代価なのだ。

カストリアディスが愛するアテネの人々でさえ、ついには傲慢《ヒュブリス》に屈してこの代価を支払った。アテネ人は帝国主義的冒険を制限することができず、ペロポネソス戦争の最中、シチリアへの破滅的拡張において自分たちの航海船団すべてが破壊されるのを目にした。アテネ人はポリスの内側では権力の蓄積を制限したが、海外におけるポリスの力は制限しなかった。私の議論にとってさらに厄介なことに、アテネの帝国主義的拡張はその民主主義から引き出された結果であったことを告白しなければ

20 Castoriadis, *Society adrift*, 205.

21 Castoriadis, *Society adrift*, 205.

ならない。内部の制限は、外的な、究極的には自己破壊的な拡張によって維持され、賄われていたのだ。[22]

今日資本主義のグローバルな性格は、自らを制限しその中で生きていこうと願う政治組織体にとって無視できない障壁を示している。第一に、政治的な国境と、国境をもたない資本主義の間の対立がある。都市、地域、国が貨幣に制限を設ければ、貨幣は他のどこかへ逃げてしまい、そのうちあなたは、注意深くつくられた制限の内側で生きるというより、破産者と見なされてしまうだろう。第二に、国家間の地理的競争は、ギリシャの時代とよく似た武力紛争や経済戦争を引き起こす。自らを制限する者は遅れをとり、限界を知らない者によって食い尽くされたり虐《いじ》められたりする危険を冒すことになる。とすれば、制限を課すことは、半ばグローバルな共同行動の問題になる。たとえば私たちは、炭素排出量や侵略や競争をコントロールする国際的な制度を設けることで、国家やより下位の政治組織体が自らの制限を設けられるようにできないだろうか。

このところ国連のような組織が衰え、気候変動に関するグローバルな

22　ポランニーは Polanyi, *The invention of trade* の中で、アテネが拡張したのは交易ルートと穀物価格をコントロールするためであり、それは農民人口を食べさせるのに必須であったと論じている。農民は畑を離れてポリスの業務に専心していた。この拡張が植民地戦争と、結局はアテネの崩壊をもたらした。

活動が欠如し、またWTOのような国際組織が保護の調整よりもいかに貨幣の国境を開くかに焦点を当てる傾向があることなどを考えれば、その問いに対する答えは希望がもてるものではない。他方で、制限を設けず競争することが生き残りに必要であるかに見えるときでさえ、自己制限や、過剰への誘惑の否定は、個々の政治組織体にしって意味があるかもしれない。ポール・ヴィリリオは、好奇心をそそる歴史的事例を挙げてくれている。戦争のための力を完璧に備えながら一方で、彼らの勝利が解き放つであろう力、自らの没落をもたらすであろうその力を恐れて戦争に行くことを拒否した古代スパルタ人の例である。[23] プルタルコスは、スパルタ人は「彼らの崩壊が始まる日付を、アテネを征服し、それによって彼らの間で金と銀の流入が確かなものになるとき、と考えたのかもしれない」[24]と指摘している。

23　23 Paul Virilio, *Speed and politics* (Los Angeles: Semiotexte, 2006), 88.

24　24 Plutarch, *Agis*, in A. H. Clough, *Plutarch lives*, part 2 (Frankfurt: Outlook, 2018), 298.

『所有せざる人々』――サイエンスフィクションを使って限界を考える

私にとって、限界の問題、その制度、逸脱について熟考する最善の手がかりになったのは、アーシュラ・ル＝グウィンのサイエンスフィクション『所有せざる人々』だった。[25] ここでは、関連したいくつかの問題を例証するためにそれを用いることにする。

小説の主人公シェヴェックは、時間の統一理論を追究する物理学者である。彼の住むアナレスは、何世代も前、資本主義の惑星ウラスを逃れてアナキストたちが移民した惑星であり、シェヴェックは反対向きの旅を企《くわだ》て、あえて惑星の境界線を越えようとする最初の人間になろうとしていた。アナレスは限界をもった世界である。惑星は小さく、荒涼としていたが、革命家たちは自由を見出すためそこに移住した。彼らが築き上げた文明は、バークレーの人類学教授アルフレッド・クローバーの娘

25　Ursula Le Guin, *The dispossessed* (New York: Avon, 1974)〔アーシュラ・K・ル・グィン（佐藤高子訳）『所有せざる人々』早川書房、１９８６年〕.

ル＝グウィンが成長の過程で馴染んだ狩猟採集民社会をスケールアップして、技術的に進歩したバージョンである。アナレス人たちは、私たちからすると欠乏しているように見える中で、自分たちがもっている少しのものを分かち合うことで十分満たされた生活を送っていた。[26] 誰かが十分食べ、その一方で誰かが飢えで死ぬといったことは決して見過ごされなかった。入植地の創始者たちは、分かち合い、自己制限、民主的自己組織化のエートスをもっていた。このエートスは、革命の半神話的な女性指導者の教えの中で擬人化され、教育と儀礼を通して世代から世代へ引き継がれた。若いアナレス人は多くを欲しがらず、警察がいなくても自らを統治することを学んだ。そして、彼らはスパルタ人のように、隣人たちとのいざこざを避けていたが、それは強い軍隊を育てることによってではなく、軍隊をもつことも拒絶し、平和と引き換えに毎年かなりの量の鉱物資源をウラスに譲渡することによってであった。ウラス人が鉱物を欲しいと思えば、それを得ることができる。アナレス人は、鉱物がなくても慎ましく暮らすことができる。

時が経つにつれ、アナレス人の分かち合いの規範と制限は教理にまで

26　私はこのことについてより詳しく、Giorgos Kallis and Hug March, "Imaginaries of hope: The utopianism of degrowth," *Annals of the Association of the American Geographers* 105, no. 2 (2015): 360-68. の中で、ル＝グウィンの本の全文と、そこでの限界と欠乏の扱いを論じている。それをご覧いただきたい。

固められた。警察の存在なしでの自己統治には醜い側面があり、それはアナレス人たちが互いを絶えず監視し合い、利己的な考えをもったと糾弾された人間を追放し、自分たちの考えを制限したことだった。創始者たちのエートスは本来の意味を次第に失い、制限の執行は、影の官僚組織が取り巻く権力の中心となった。限界の中で暮らしたいからではなく、拡張することが内部の序列を乱すことをエリートたちが恐れて瓶の中に魔神を閉じ込めたスパルタや多くの前資本主義的社会のように、今やアナレス人は「歴史をもたない人間」[27]――多くのことが社会的に変化しない場所――になる危機に直面していた。

シェヴェックは革命の祖たちのエートスを信じていたが、科学者としての真理への希求が彼を、今や彼にとっては何の意味ももたなくなった権威や制限への挑戦に駆り立てた。彼の見方からすれば、制限は問い直されるべくそこにあり、それこそが祖先たちの反乱の精神のはずだ。同胞たちの脅迫にもめげず、自分の理論を求めてシェヴェックは惑星の究極的な物理限界を越えてウラスまで旅することを主張する。彼はその旅を成し遂げ、ウラスには私たちの資本主義のような社会が存在し、物質

27 Virilio, *Speed and politics*, 88.

的には豊かで、しかし社会的には不平等で貧しい人々に溢れていることに気づく。彼の到着は新たな反乱に火をつける。しかし後にしてきたアナレスでは、彼の旅がこの惑星の限界の倫理を少数者の富裕の世界と接触させたことで、制限主義の倫理が崩壊する危機が招かれた。さらに、新しい官僚組織に導かれた権威主義的閉塞と、制限を押しつける権威主義的社会への後退のきっかけとなってしまった。

シェヴェックの旅は傲慢《ヒュブリス》の例なのだろうか。それは、アテネによるシチリア遠征や、スパルタのアテネとの戦争と同等なのだろうか――何の見返りもない、限界の突破なのだろうか。ル＝グウィンの本は傲慢《ヒュブリス》の結末についてではなく、限界とその逸脱の解きがたいドラマについての本である。最終的にその小説は、アナレスに何が起こったかを語らず、シェヴェックが故郷に降り立つ直前のところで終わる。ル＝グウィンは、自律性のプロジェクトには、もともとのコミットメントを更新していく、危険を含んだ過程が避けがたく含まれていることを示唆していると思う。制限に対するコミットメントが一時的な逸脱の中でも生き残っていくなら、その逸脱には価値がある。そうでないなら、逸脱は閉塞に向かい、たとえばアナレスの創始者たちがそれに反逆したような他律性へと後退するだろう。

安定を求める必要性と時間の経過により、自律性は不可避的に他律性へと傾く。自律性と他律性を良いものと悪いものの両極として捉えるのではなく、統合的なものとして――両者の中間の状態というのではなく、むしろ創造的な緊張、矛盾を維持するプロセスとして――考えることが必要なのだろう。

冒険と限界

9歳の頃、私は自転車をもっていた。アテネ郊外のマロウシに住んでいて、そこは拡大する大都市に飲み込まれそうな田舎町だった。

当時両親は今ほどうるさくなかったので、私は友人と一緒に自転車に乗って近所一帯を自由にうろつきまわっていた。ある日、ディミトリスとミチャーリスと一緒に、もっと遠く、私たちの想像上の境界を越えるほど遠くまで自転車に乗って出かけた。新しい場所やそこで出会う新しい人々に心を躍らせ、私たちはどんどん速く走った。すべてが霞《かす》んだ夢のようだった。何時間か走ったところで私たちは止まった。辺りは暗くなりかけていて、自分たちがどこにいるのかわからなかった。誰かに方向を尋ねても、彼らは笑うばかりだ。家から何マイルも離れたところまで来ていた。私たちは自転車で戻りはじめ、アテネの端っこの横道で道に迷い心底怖くなって、何時間後かに、見覚えのある景色を目にしてやっと息をついた。家に着いたのは真夜中過ぎで、両親たちはまさに卒倒せんばかりの状況で、横には警察官が立っていた。再びその境界を越えたのは、もう何年か大きくなってからだった。

境界を越えるとき、冒険が始まる。ル゠グウィンの小説では、シェヴェックの冒険の印は、文字通り惑星の物理的境界を越えることだった。そして、オデュッセウスと同じく、彼の冒険は自分自身の限界の中に帰郷することで成就される。１９００について但し書きしておくことが一つあるとすれば、彼が冒険に対し否と言ったことだ。幾晩かクレイジーな夜を都会で過ごし、それから船に戻ってくることだってできたのに、なぜそうしなかったのか。といって、ここで、限界は楽しみを奪うとか、限界は苦行や犠牲を楽しむ人のものだとかいった、安易な批判をしようとしているのではない。

１９００を診た精神分析家なら違ったように言うかもしれないが、私たちが知っていることから推測するに、彼は自分が犠牲を払っていると考えていたわけではなく、自由を守ろうとしていたのだ。彼にとっての楽しみ、あるいは、おそらく冒険は、船の外ではなく中にいることと結びついていた。しかし、シェヴェックと異なり、なぜ１９００は限界を越えて自らのコミットメントを危険にさらすことを拒絶したのだろう。彼の拒絶は、自分自身の恐怖をコントロールできていなかったことを示唆しているのだろうか。

固定されたフロンティアを一時的に越境することは、不断に拡張を続けるフロンティアを永続的に越境しようという資本主義の想像と同じではない。絶え間なく続く冒険は、すでに冒険ではない。オデュッセウスにはイサカ島が必要なのだ。もしも一生キュクロプスやセイレーンと戦っていなければならないとしたら、彼の冒険は空虚なものになるだろう。

限界に直面する体験、限界の存在を前提とした体験、つまり「限界体験」における一時的な越境こそが、喜びをもたらすのだ。ディオニュソスの放逸や饗宴は、ふだんの正常な生活が醒めたものであってこそ意味をもつ。[28] 不断に続くディオニュソス的狂乱の夢は、私たちの文明を駆り立てる隠れた欲望であっても、自己破壊的なばかりで、楽しくもなんともない。

28　Giacomo D'Alisa, Giorgos Kallis, and Federico Demaria, "From austerity to dépense," in *Degrowth: A vocabulary for a new era*, ed. Giacomo D'Alisa, Federico Demaria, and Giorgos Kallis（Abingdon, UK: Routledge, 2014）, 215-20をご覧いただきたい。

限界の人類学

とすれば、節度とは「知恵やバランスではなく、情熱や矛盾に深く埋め込まれたもの」[29] となる。イタリア人社会学者フランコ・カッサーノは、アルベール・カミュに従い、地球大の、また、ヨーロッパの「南」の人々の主題の中に、限界の人類学を見出している。[30]「南」の人々は、打算と利益の論理を拒絶し、矛盾を抱擁《ほうよう》してそれを生き抜く。カミュは、節度とは中庸ではなく、矛盾を抱えて生きる能力なのだと論じる。

29　Cassano, *Southern Thought*, 75.

30　Cassano, *Southern Thought*, 75."

　自己制限の原型は、自分はどれくらい使えるお金をもっているか、どれくらい貯められるかを計算するしみったれではなく、欲望から解放され、矛盾を抱擁し、浪費の放逸を間に挟みながら醒めた生を送る地中海の男女である。[31] ここでは、映画『その男ゾルバ』で広く知られるニコス・カザンザキスの小説の主人公、アレクシス・ゾルバが頭に浮かんでくる。過剰な笑いと踊りとその矛盾する性格で、いかにも彼は節度のモデルにふさわしくない人物のように見える。しかしそこでは、平静で簡素な暮らしが、計算を度外視した分与や散財という放逸と対《つい》になっていた。節度は、生の否定や、将来の見返りを期待した欲望の抑圧、すなわち、蓄積と拡張の核心にあるプロテスタント倫理のようなものを意味する必要はない。それは、ギリシャから学び、精神分析が思い出させてくれたように、私たちの矛盾について考え、その主人となり、それと共に生きる実践でありうる。[32]

　周期的な過剰を限界の名において擁護することは、一見すると逆説的に聞こえるかもしれない。なぜ、無駄な散財が制限と一致し、注意深い抑制が拡張と相携えていけるのだろうか。それは、成長の中心に蓄積が

31　Onofrio Romano, "How to rebuild democracy, rethinking degrowth," *Futures* 44, no. 6 (2012): 582-89 をご覧いただきたい。

32　カッサーノはイタリアの精神分析家チェーザレ・ムラッティのジョークを引用している。精神分析はユダヤ人が、アングロサクソン人にイタリア人のように生きるよう説得するために発明したものだと。*Southern Thought*, 113.

あり、蓄積にとって抑制と貯蓄が不可欠だからだ。資本主義以前の社会は、余剰を記念碑、宗教的儀式、あるいはポトラッチ[2]のような形で費やした。宗教的、儀式的制度が余剰を飲み込んでいた。これとは対照的に市場制度は、余剰を投資に向け、成長を促進させる。権力と貨幣が、どんな明らかな限界もなく蓄積されはじめる。制限を設けるには、時折、非生産的な散財をおこない、成長の可能性を減らしてやる必要がある。[33]

限界内での暮らし

これまで論じてきたように、制限は良き生活に欠かせない一部として求められる何かである。個人のレベルで、そうした制限はどのように見えるだろう。それらはどのように共有され、広げられるだろう。(民主主義を超えた) どのような実践上の約束がそれらを可能にし、促進するだろう。

私がこれまで目にしてきたことから一つ言えるのは、限界内での暮ら

［2］アメリカ先住民の社会に見られる儀礼的な贈答の儀式。チヌーク語で「贈与」の意。客を招いて盛大な宴会を開き、もてなすことで名誉を得るとともに富の再分配がおこなわれる。

33　私はこの考えをさらに推し進めて Kallis, *Degrowth* の第2章、および D'Alisa, Demaria, and Kallis, "From austerity to depénse." の中で論じている。その着想はジョルジュ・バタイユの費用の理論についてのオノフリオ・ロマーノの論から得た。Onofrio Romano, *The sociology of knowledge in a time of crisis: Challenging the phantom of liberty* (Abingdon, UK: Routledge, 2014); and Georges Bataille, *The accursed share*, vol. 1 (New York: Zone Books, 1988; 1949) をご覧いただきたい。

しを描くとき、水道も電気もなしに暮らす、対抗文化《カウンターカルチャー》のダウンシフトした人々の生活といったステレオタイプのイメージから私たちの想像を解き放つべきだということだ。そうした人たちは、地球の限界を尊重し、他者の空間を侵食することを禁じる自分たちで決めた制限の中に生きていることが多く、その点では尊敬に値する。しかし、もっと平凡な人々や場所に、制限の中で充実した人生を送るための種子を見出せるなら、さらに興味深い。たとえば、自分の時間や資源を教会やモスクで他者と協力しながら分かち合い穏健な暮らしを実践している信仰者、自分の仕事、家族、友人たちに満足し、権力やもっと高給を得ることを求めない都市住民、自分の家族を養うに足るものを生産している農民、退職後に環境保護運動に関わり、洪水に備えた川の補修や堤防の保全のため一緒に働いている年金受給者などだ[34]。

自分が選んだわけではない限界条件に陥ってしまわないよう際限ない追求に私たちを追い立てる社会の中で、自己自身に制限を課すことができる能力は、一つの**特権**である。ラストベルト[3]の失業労働者、自由貿易と安い輸入品の打撃を受けた農民、砕石工場で働くアフリカの子どもた

34　たとえば、Mary Geary, "The nowtopia of the riverbank: Elder environmental activism," *Environment and Planning E* (2019) : 2 (3) : 451–464. をご覧いただきたい。

［3］ラストは、金属の錆びを意味する。米国中西部から北東部の、鉄鋼業や石炭業、自動車産業などが衰退した工業地帯のこと。

ちを思い浮かべてみよう。彼らに自分自身を制限する選択肢はない――社会が**彼らを**制限している。豊かに自給自足したり、過重労働や仲間との競争がない暮らしの中で家族や友人との交流を楽しんだり、安らかに畑仕事や老後の暮らしができるには、よほどの金持ちかその子弟でないかぎり、公的健康保健や退職金基金、教育、農業助成金といった公的コモンズへのアクセス権を何とか手にしていなければならない。とすれば、限界内で暮らすことは、個人的努力ではなく集合的プロジェクトになる。個人的活動は必要である。私たちが何かを望んでいること、それが機能することを例証できなければ、それを得るためみんなでまとまろうとはしないだろうから。しかし、それを得るためにはまとまらなければならない。

ル＝グウィンの『所有せざる者』は私に、言葉や概念だけでは伝えられないイメージを与えてくれた。アナレス人は、彼ら自身が選んだ限界の中で暮らしている。彼らは別の社会を生み出したかったゆえに、荒涼たる惑星に移住することを選んだ。アナレスでは、ウラスで出会ったよりも多くの物理的困難に直面する。しかし、より多くを欲しがらなかったおかげで、働くのも「より少ない」。そして、誰かが食べ物をもっているとき、別の誰かが飢えているということはない。良いときも悪いときも、すべてを分かち合っているからだ。限界の倫理はアナレスの人々が想像した社会の基盤を形づくる政治的・文化的プロジェクトであり、その想像した社会を、彼らは生み出した。限界の倫理は、コモンズを分け合うために必須の要件なのだ。制限を共有し広げるためには、限界の文化を生み出した初期キリスト教徒の姿勢のように、個人的でもあり倫理的でもある姿勢が必要とされる。次いで、そうした限界の中での生活を可能にする条件と制度を確保する政治的プロジェクトもまた必要になる。

私が自己制限を求めて論じた立場に対する最もよくある2つの批判に注意を向けて、この章を閉じることにしよう。第一は、好むと好まざるとにかかわらず、外的な限界はあるという批判、第二は、もう一つの極論、限界などなく、何であれ限界は必要ないという批判だ。

再び、エコロジカルな限界

第3章で論じたような、自己制限を重んじ、外的限界という考えに反対する私の主張を伝えようとすると、環境保護論者の仲間が相手でもなかなか難しいことに気づく。「生態学的な限界がないなんて、まさか本気で言っているんじゃないでしょうね」と、友人たちは繰り返し尋ねる。「気候変動はどうなんです。川や飲み水の水質汚染はどうなんです。これらは議論の余地のない限界じゃないと言うのですか」。また他の人々は言う。「外的な限界があってこそ、自己制限の立場は強固なものになる。限界がなかったら、なぜ自分を制限しようと思うんだ」

それらに対する私の返答を繰り返したい。その通り、私は外的な限界があるとは思っていない。といってもそれは、気候変動は現実のものではないという意味ではないし、自分たちは好きなだけ炭素を排出していいということではない。そうではなく、限界は、炭素によって燃料を与えられている暮らしをしようという意図の中にあること、私たちが制限しなければならないのはその意図だということだ。水質汚染は、すべての人にきれいな水を供給できるようにしたいと思って初めて、限界になる。川が汚染されているためにみんな高価な瓶詰めの水を買わなければならない世界に暮らすことを厭《いと》わないのなら、それは限界とはならない。もし私たちがきれいな公共の水を欲するなら、水質汚染に制限を設けなければならない。限界は選択の問題であり、どのような世界を自分たちが創造したいと思っているか、子どもたちに残したいと思っているかによって決められる。これらの限界を自然に帰したところで、得るものは何もない。

仲間の環境保護論者たちは、限界を選ぶのは私たちだという考えを受け入れてしまうと、私たちは科学的客観性のオーラを失う危険を冒すことになると考える。しかし、根本的に政治的である問いに関して、客観性の主張は公衆に対してうまく働いてこなかった。公衆は、自分たちが何をしなければならないかを告げてくれないといって、科学者への不信を募らせてきた。自己制限という考えに移行することで、私たちは科学を捨て去るわけではないし、制限の立場に立つ義務がなくなるわけでもない。私たちは、何らかの帰結を避け、ある世界ではなく別の世界を生み出したいという理由で、自分たちに制限を課してよいのだ。科学は、私たちが創り出せる様々なタイプの世界がもたらす帰結とそのための制限について、価値ある情報を提供してくれる。しかしなお決定的に重要なのは、科学を特権的な領域としてではなく、集合的な解放に向けた社会的・民主的過程の一部として見ることだ。

自己制限の立場は、外的限界を自明なこととして仮定するかぎり、強固なものにならない。マルサス以来、限界をもった世界という考えへの応答は、弱者をその世界から排除しつづけること、あるいは、彼らを犠牲にしてより大きな世界をつくることだった。限界をもった世界は、定義上、欠乏を抱えている。もしも世界がものに溢れ、私たちに十分な資源があるなら、限界などなくなる。私たちが石油を用いることをやめたら、石油供給の限界というのは的外れになる。ギリシャ人は、貨幣の増大に限界があるゆえに貨幣を制限したのではない。まさしく、限界をもたないからこそ限界を設けたのだ。私たちが自分たちに制限を課さなければならないのは、限界がないところにおいてである。また、私たちが自己に制限を課すのは、世界は豊かだと本当に信じられるときである。

限界のない限界

限界があるかないかは別にして、限界をもたない成長は好ましからざる結果をもたらすと、私は論じてきた。しかし、多くの人はこれに反対し、富や権力の蓄積は継続できるし、継続するべきである、また、環境の持続可能性や社会改善と両立できるし、そのために必要であるとさえ反論するだろう。

そうであるかどうかは、ある部分では、事実によって決着を図るべき経験的な問いだ。[35] しかしながら、制限に関する私の立場は、成長がもたらす社会的帰結や生態学的結果にのみ基づいているのではない。ギリシャ人は、森や川を保つためや、フェニキア人に空間を残すために制限を課したのではなく、貨幣の無制限の追求がいかに自己破壊的で無意味か

35　Kallis, *Degrowth* をご覧いただきたい。

を知ったからこそ制限した。私もまた自己制限を、自由に欠かせないもの、善と人生の意味の探求に必須のものとして論じてきた。

いわゆる脱環境保護主義者の人々は、制限を課すために自分たちのやり方を変える理由はないと論じる。[36] ますます豊かになるにつれ、私たちは自然に物質的富に背を向け、「脱物質的」価値を求めるようになると彼らは言う。新しいテクノロジーはまた、全く自然に、化石燃料のような汚れた、あるいは高価な資源を、核融合発電や太陽光発電の安価できれいな代替物に置き換えていく。強制された制限は、化石燃料の終焉を漸進的に導く自然な進捗を、脱線させるにすぎないのだと。

ここでもまた、物質的消費に対する制限が自然にもたらされるかどうかは経験的な問いである。私が知るかぎり、それはやってこない。たとえやってきたとしてもほんのわずかで、遅すぎるだろう。若い人々は自動車を買うのをやめるかもしれないが、資源大量消費型のiPhoneを2年ごとに買い替え、バスを使っていたより頻繁にウーバーやリフト[4]を使用する。物質的消費全体の制限には、制限のエートスが必要だし、制度が伴っていなければならない。私たちはエネルギーシステムの組み合わ

36　Nordhaus and Schellenberger, *Break through.*

［4］リフト（Lift）はアメリカにおいて、ウーバーと人気を二分する配車サービス。

せの中に以前よりきれいなエネルギーを付け加えるかもしれないが、法による強制的制限なしに化石燃料を取り除けるかどうかは疑わしい。

最後に、マルサスに対するエンゲルスの応答に遡る社会主義者の議論があり、それによれば、私たちが直面している限界は、単に資本主義の限界にすぎない。社会主義の下では私たちは限界に直面しないだろう、と論は続く。これは、2つの非常に異なる形で解釈されている。第一は、社会主義は制限を設定し共有することに関して資本主義よりうまくやることができるという議論であり、実際エンゲルスは、労働者階級の統治する国家は、安価な労働力を獲得することに関心がある資本家が支配する国家よりうまく人口をコントロールできる立場にあると論じた。しかしエンゲルスはこのことを、第二の議論、資本主義は非合理的な利益の追求によって動かされているのだから、社会主義は資本主義より合理的に生産を増やすことができるということと結びつける。この見方によれば、社会主義は合理的であり、テクノロジー面でより優れているゆえに、資本主義が直面する土地、資源、人口の限界を取り払うことができる。この第二の議論に、私は疑問を見出す。

事実、限界は相対的であり、社会の欲求との関係で定義される。私たちが現在直面している限界は、資本主義の下で構築された物質的欲求に関連している。異なる欲求を備えた異なる経済システムは、必ずしも同じ限界に直面しない。しかし、そのシステムが資本主義と似た物質的欲求を満足させようと望んでいるなら、同じ破滅的結果をもたらすことなくそれが達成されると考えるべき理由はない。環境は、炭素排出工場が労働者によって所有されているか資本家によって所有されているかとは無関係だ。

社会主義は限界に直面しないだろうとする考えのさらなる問題は、それが限界をもたない成長の夢を再生産するところにある。制限の文化の必要性は、社会の組織とは別の事柄として存在する。古代ギリシャ人や狩猟採集民は資本主義者ではなかったが、彼らは自分たちに制限を課した。社会主義であろうとなかろうと、どんな社会も、制限なしには存在できない。問うべきは、どんな制限をもつのか、どのようにその制限は設定されるかだ。限界をもたない永遠の贅沢社会の秘密を見つけたと考える人々は、自己欺瞞《ぎまん》に陥っているにすぎない。

エピローグ――限界の擁護

私自身とピアノとの関係は1900のそれと全く異なる。しかしそれは、限界についての私の理解にとって同じくらい示唆に富んでいる。5歳のとき私は、姉の名づけ親の家のピアノをいじくりまわして喜んでいた。母は私にその気があると思い、私を音楽学校に入れた。成長するにつれ、音符を叩いて喜んでいた優雅な幼年期が終わり、私は週2回の夜のピアノレッスンと、土曜日の朝8時からの理論とソルフェージのクラスと、数え切れない練習時間という厳しい生活に追い込まれていることに気がついた。私はそれが嫌だった。友だちは自転車に乗ったりサッカーをしたりしているのに、自分は俯《うつむ》いたまま音楽学校に向かわなければならない。両親にそれを言えば、私は直ちに音楽学校から引き離されたかもしれない。子どもは子どもの望むように生きることを期待されていたのだから。しかし、私はピアノの先生をがっかりさせたくなかったし、後知恵で思うと、私のことを才能あるピアノ奏者と考えている母親の期待を裏切りたくなかった（結局、私は1900にならなかった。もっとも、1900には母親がいなかったし、音楽学校にも行かなかったけれど）。私は無意識のうちに自分自身の限界を発明し、不承不承、それから13年間そのままピアノ教室に通いつづけた。私は楽譜を見ながらモーツァルトやベートーヴェンを弾くことができたが、もしも私の好きなブルース・スプリングスティーンの歌の一節を拾ったり、演奏したりするよう言われたら、ピアノの鍵盤を見つめたまま凍りついてしまっただろう。大学に行って教室を辞める口実ができたとき、後ろを振り返りはしなかった。二度とピアノの鍵盤には触れないと誓った。私は、望まざる限界から自分が解放されたと思った。

それから30年、今、私は、母を失ったことに向き合う過程にあり、自分自身の生の限界と折り合いをつけ（まだつけていないが、やってみる価値はある）、自分の欲望を整理し、息子として、両親が私にそうなってほしいと思っているのだろうと想像する中で自分自身に課してきた制限の中から自分の手で制限を選び取ろうと努力している。私が滞在しているアテネの友人の家に、大きくて黒い演奏会用のピアノがあった。奇妙なことに私は腰かけに座り、演奏してほしいというどんな期待からも義務からも自由に、鍵盤に触りはじめた。突然不思議なメロディーが私の手から湧き上がり、それは自分が演奏できると想像したこともない旋律だった。現在私は再びピアノのレッスンを受け、自分自身の音楽を生み出している。毎週何時間もピアノに打ち込み、当然その数時間は、他のことができない。しかし、ロビンソン・クルーソーと違い、私は満足している。これらは私の限界であり、私自身がつくった限界であり、その中で私は自分の創造性を表現している。

この本で問題になっているのはもちろん私ではない。地球は温暖化している。2030年までに私たちは炭素排出量を半分に減らし、2050年までにゼロにしなければならない。それなのに、必要とされている「社会のすべての面にわたる、急速な、広範な、先例のない変革」といったことのどれに取り組もうとする兆候もほとんど見られない。[1] 2015年、気温上昇を摂氏1・5度に制限することに多くの国々がパリで同意したが、実際の数字を数値化した科学者たちは、これでは壊滅的な3度の上昇[2]かそれ以上に達するだろうと結論した（しかも、これは、自発的誓約が守られることを仮定したもので、それもますます怪しくなっている）。

気候の崩壊が目前に迫る中、選挙で選ばれた独裁者たちは科学者の予測の正確さを否定し、一か八か経済成長に賭け、既存の制限や行政的インフラを取り去り、環境を守ろうとする人々を迫害している。一方、シリコンバレーの富裕層は、彼らが「イベント」と呼ぶ大変動が起きた翌日に備えて非常用袋を用意している。彼らは、気候変動にそれほどさらされていない（地震や火山は、まあ気にしないでおこう）という理由でニュージーランドに土地を買う。[3] 社会が崩壊したときに、自分たちの掩蔽壕《バンカー》とセキュリティ部隊はどれくらい機能するかを心配する。さらに、火星を植民地化したり、差し迫った災害を生き延びるため彼らの頭脳をスーパーコンピュータにアップロードしたりすることを夢想する。[4] 2世紀にわたる無制限の拡張が大詰めを迎える中で、誰も進んで急ブレーキをかけ

1　諸政府により承認された1・5度の地球温暖化に関する特別報告書の政策決定者向け要約版。〈www.ipcc.ch/news_and_events/pr_181008_P48_spm.shtml〉.

2　Joeri Rogelj, Michel Den Elzen, Niklas Höhne, Taryn Fransen, Hanna Fekete, Harald Winkler, Roberto Schaeffer, Fu Sha, Keywan Riahi, and Malte Meinshausen, "Paris Agreement climate proposals need a boost to keep warming well below 2 C," *Nature* 534 (2016): 631.

3　Marc O'Connell, "Why Silicon Valley billionaires are prepping for the apocalypse in New Zealand," February 15, 2018, 〈www.theguardian.com/news/2018/feb/15/why-silicon-valley-billionaires-are-prepping-for-the-apocalypse-in-new-zealand〉.

4　Douglas Rushkoff, "How tech's

ようとはしないし、むしろ多くの人は嬉々としてアクセルを踏んでいる。

　億万長者の虚栄心は、もしもそれがさほど悲劇的でなく、残りの者たちの犠牲を伴わないなら滑稽かもしれない。この本は、こうした苦境をもたらした種子の一つ、世界における限界と自分たちの位置を私たちはどのように考えるようになったのかを吟味してみようというものだった。マルサス以来ずっと私たちは、自分たちの欲求を無限なもの、世界を有限なものと考えてきた。私たちの使命は際限なく世界を征服することで、制限を受けることは苦痛と同一視された。すべての者に足るだけ十分にはないと信じるに至り、世界を従わせ苦しみから逃れることをもっと確かなものにするため、世界に対して闘いを挑んできた。

　限界をもった世界の中での限界をもたない拡張というこの考えは、私たちの文明に特異な幻想である。その幻想は特に資本主義に特異的に見られるもので、なぜなら資本主義は拡張を必要とし、拡張は未開拓地を必要としているからだ。限界は、無制限な植民地化に欠かせない必須の構成要素である。より多くをめざし、不断に外側に向かって動く運動を生み出すのは、システムが生産する豊富なものを分かち合うことができ

richest plan to save themselves after the apocalypse," July 24, 2018, 〈www.theguardian.com/technology/2018/jul/23/tech-industry-wealth-futurism-transhumanism-singularity〉.

ない、システムに備わった無能力である。将来の拡張が現在の不平等を正当化し、不平等がすべての者を拡張のため懸命に働かせる。

その道が自己破壊的になってきたことに同意するなら、私たちの応答は、もっと多くを手にし、もっとたくさんの分け前に預かれる未来を期待することではありえないはずだ。なぜなら、そんな未来は決して来ないし、そう信じることは拡張を煽り立てている現在の幻想を永続させることだからだ。唯一可能な応答は、いったん自分自身を制限し、すでに今あるものを分かち合うなら、すべての者が十分満ち足りるだろうというものだ。自分たちの欲求を制限することを受け入れ、満足することができてのみ、ようやく私たちは豊富で豊かな世界を享受するだろう。

自己制限を呼びかける私の立場は、単に環境保護的でも、主として環境保護的でもない。それはケアの倫理であり、他の人間・非人間を植民地化することに反対する立場である。それはまた、限界をもたない生は意味をなさないという直感に基づく人類学的なものである。欲求や欲望を制限し形づくることが、私たちを人間的にする。ギリシャ人は、一時的にせよ限界の知恵を発見した唯一の文明ではない。限界なきものを限界づける技《アート》として文明を見ることは、停滞し、宗教的抑圧や迷信によって苦しんできたと性格づけられ退けられてきた他の文明に再び目を向け、なぜ彼らは、また、どのように彼らは、自己に制限を課してきたのか問うてみることを助けてくれるだろう。

といっても、限界の知恵は容易ではない。死や私たち自身の限界を考えることは堪えがたい。私がピアノを弾くことをやめたときのように、自分の内的な限界を破り捨てたり反発したりするほうが、それについて熟考し、つくり直し、それらを抱えつづけるより簡単だ。新しい世代は世代ごとに、先人たちによって課された制限を逸脱したいと願う。制度的な、あるいは両親が課す限界は、それを逸脱したいという欲望に火をつける。いったん限界をもたない拡張の魔神が瓶を飛び出したら、それをまた瓶に戻すのは容易なことではない。どんな限界も知らない人々は、必要なら暴力を使ってでも限界の内側で暮らす人々を支配することを自らに許す権力を蓄積する。そして、制限の強制が、支配される者を抑圧するために制限を発動し、支配者が権力を固める場となる。抑圧された者は不正な制限に反対し、何度も反乱を起こすだろう。まさしくこうした理由で、今、限界を抱え込むことが難しくなっている。マルサスの時代のように、私たちのますます多くが、傍らに太った猫たちがいるというのに、すべての者に行きわたるほど十分にはない、私たちは限界の中で暮らすことを学ぶべきだと告げられている。それでもなお、不正な制限を受け入れるのではなく、集合的な制限を擁護する道を探らなければならないと、私は強く主張する。

　制限を求める申し立てを生き生きとしたものにしていく中で、環境運動の役割がきわめて重要になっている。環境主義はマルサス主義に弄《もてあそ》ばれ、限界をもった世界というマルサスのビジョンを再生産してきた。しかし、私がここで信奉する環境保護論は、断固としてマルサス主義ではない。それは、地球が縮まってきていると告げて大災害の預言を弄ぶ人々の環境保護主義ではなく、制限を望み、そのために闘う人々の環境保護主義である。それは、ボートから降りることも火星に逃げることも望まない[5]人々の環境保護主義である。自分が住んでいる地球を愛し気づかう知恵をもち、廃墟を後にしてそこから逃げ出すのではなく、その限界と自分自身の生の限界を抱える人々の環境保護主義である。ローマ教

5　これはホルへ・リーチマンの著書 *Gente que no quiere viajar a Marte* の訳である。

6　教皇フランシスコの回勅をご覧いただきたい。回勅「ラウダート・シ――ともに暮らす家を大切に」の中でフランシスコは、「もし私たちが、畏れと驚異に対する開かれた心なしに自然や環境に接するなら、また、もし私たちが世界と関わるとき友愛と美の言葉で語らないなら、私たちの態度は、

皇のような精神的指導者が制限を求めるこうした呼びかけに言葉を添えていることも、希望をもってよい理由だ。[6] コモンズを守り、交渉し、集合的な制限を定義づける根気強い過程を通して新しいコモンズを設定しようとしているいくつもの運動や人々も同じである。[7]

マルサスは間違っていた。私たちの欲求は限界をもたないわけではないし、限界をもたない欲求は私たちの本性ではない。自らが望んでいるのは何なのか理性的に省みて、熟考し、応答する能力こそ、私たち人間にとって本質的である。私たちは、自分を奴隷にしたり、破壊しようとするかもしれない本能をコントロールすることによって、自分自身を解放する。女性や男性が、自分の限界と折り合いをつけながら、本当の望みを見つけたときに人生の中で成熟するように、私たちが一丸となって自分の限界を知り、尊重するようになったとき、文明は本当に進歩したことになるのだ。これまでのどの時代にも増して、進歩は、止まり、考え、これまでと違ったふうに行動することを意味しているかもしれない。脳を掩蔽壕《バンカー》の中に埋めてしまうのではなく、人間の知性と想像力と驚嘆の力を使って、自分の限界を見つけ出していこうではないか。

目の前の要求を制限することができない支配者・消費者・無慈悲な搾取者の態度になるだろう。それと対照的に、私たちがすべての存在との親密なつながりを感じるなら、沈着さと気づかいの心が同時に湧き上がってくるだろう」と、また、「こうした問いが持ち上がるとき、ある人は、人間の進歩や発展に分別なく立ちふさがる者として他者を糾弾することで応える。しかし、私たちは、生産と消費の速度を落とすことが、時には別の形での進歩や発展をもたらすことができるという確信を育てなければならない」と語っている。

7　David Bollier and Sielke Helfrich, *The wealth of the commons: A world beyond market and state* (Levellers Press, 2014); and David Bollier and Sielke Helfrich, *Patterns of commoning* (Commons Strategies Group, 2015) をご覧いただきたい。

謝辞

スタンフォード大学出版局の編集者エミリー－ジェーン・コーエンは、発端からこの計画に協力し、完成に至るまで助けてくれた。彼女の注意深い編集が私の文章を磨き上げ、とても読みやすいものにしてくれた。彼女の助けがなければ、もっと読みにくい本になっていただろう。エイミー・トーマスは本の初稿に詳しく目を通し、私の英語だけでなく内容を良いものにするのを助けてくれた。ギャレス・デイルとジェイソン・ヒッケルは、途中の稿にコメントを寄せてくれ、またリチャード・シーフォードはギリシャについての章を書くのを助けてくれた。限界に関する私の考えは、何年にもわたるジャコモ・ダリサとの会話に大きな影響を受けている。アントニオ・ヴェルダスカ－カルドーソは、私自身の限界と、私と限界との関係について書くのを助けてくれた。私は、ロンドンでアマリア・カルデナスのコーチングセッションを受けている途中、この企画を思いついた。アーロン・ヴァンサンシアンは本の企画書を書くのを助けてくれた。私はロンドンのロンドン大学SOASでリーヴァーヒューム教授の資格を得、ロサリーン・ダフィーに協力していただいた。SOASでのリーヴァーヒューム講義において、また、オープン大学、ケンブリッジ大学、のちにカリフォルニア大学バークレー校「エネルギーと資源グループ・コロキウム」でこの研究を発表し、多くの有益なフィードバックをいただいた。本書はICTAのICREA教授の資格を得て、バルセロナ自治大学「環境科学・技術研究所」で完成した。「マリア・デ・マエズ」卓越研究ユニット（MDM-2015-0552）およびCOSMOS（CSO2017-88212-R）の助成に基づくスペイン経済競争力省（MINECO）の支援を受けている。

解説

斎藤幸平＋FEAST

著者ヨルゴス・カリスについて

クリストフ・ルプレヒト（以下、ルプレヒト）：本書はヨーロッパの脱成長ムーブメントを牽引する学者であり実践者であるヨルゴス・カリスの3冊目の単著であり、日本語での翻訳は、共著である『なぜ、脱成長なのか』[*1]に続いて2冊目、単著としては初めてということになります。

カリスの経歴は著者自身が本書序章に記している通りですが、簡単に紹介すると、『成長の限界』[*2]が出版された1972年にギリシャで生まれました。本書に献辞のある両親は二人とも医者であり、母親のマリ

*1　ヨルゴス・カリス、スーザン・ポールソン、ジャコモ・ダリサ、フェデリコ・デマリア著、上原裕美子、保科京子訳、斎藤幸平解説『なぜ、脱成長なのか――分断・格差・気候変動を乗り越える』NHK出版、2021年。

*2　ドネラ・H・メドウズほか著、大来佐武郎監訳『成長の限界――ローマ・クラブ「人類の危機」レポート』ダイヤモンド社、1972年。

ア・カリス博士はギリシャ軍事政権により投獄された経験から、国際拷問被害者リハビリテーション会議会長、ギリシャ緑の党の設立メンバーを務め、またギリシャ議会・欧州議会の立候補者としても知られています。

カリスの履歴はたいへん分野横断的です。インペリアル・カレッジ・ロンドンの化学学士・環境工学修士、バルセロナ経済学大学院経済学修士の他、エーゲ海大学で環境政策博士号を取得し、現在は、エコロジー経済学およびポリティカル・エコロジーを専門として、スペインのバルセロナ自治大学で教鞭をとっています。これまでの研究業績は、ヨーロッパやカリフォルニアの水資源政策に関する参加型研究、経済学におけるコモン化、社会と生態系や脱成長と多岐にわたっていますが、彼の研究の中心には、社会はなぜ自然を乱用するのか、行動・組織・技術的な改善方法がなぜ採用されないか、という問いがあります。

ここでは、本書そのものの解説だけでなく、本書が日本に与える示唆について、ヨーロッパを中心に発展してきた近年の脱成長ムーブメントや日本の社会経済状況をふまえて、経済思想家の斎藤幸平さんと私たち

FEAST（脱成長に取り組む、アジアにおける持続可能なフードシステムへの転換を支援するグループで、監訳者全員がそのメンバーです）で検討していきたいと思います。斎藤さんは『なぜ、脱成長なのか』でも解説を担当されており、著者との関係も深く、また脱成長ムーブメントについてもよくご存じですが、本書はどのように読まれましたか。

本書の意義と特徴

斎藤幸平（以下、斎藤）：まず、本書が日本語で2022年に出版されることの意義について指摘したいと思います。今からちょうど50年前、1972年にローマクラブ『成長の限界』が出版され、環境の有限性や持続可能性といった考え方の浸透に大きな影響を与えました。もちろん同書は、本書でも指摘されているように、主として先進国の富裕な経済人らが、自分たちの生活の豊かさを維持しうるのかという危機感から、外的な制約としての限界を提示したものであり、そのような限界の考え方は、まさに本書が批判し再考を促そうとするあり方に他なりません。

とはいえ、それから50年が経った現在、パンデミックや気候変動をはじめとする地球環境問題が激化する中で、環境科学の分野から、「人新世」や「プラネタリー・バウンダリー」といった概念が提唱されるようになり、あらためて「成長の限界」について問うことの重要性はかなり高まっています。

その意味で、近年「脱成長」に再び注目が集まっているのは偶然ではありません。その世界的な議論を牽引している学者がカリスであり、ジェイソン・ヒッケル[*3]です。脱成長の第一世代であったセルジュ・ラトゥーシュ[*4]らの哲学的なアプローチと比べると、カリスらの活動には気候変動などの環境危機や、その背景に潜む南北間の不等価交換についての実証研究も含まれている点が特徴的です。そのため、彼らの脱成長ムーブメントは単なる思想的流行を超え、Fridays For Future などの現実世界での社会運動にも大きなインスピレーションを与えています。

ルプレヒト：なるほど。本書の特徴はどんなところにあるでしょうか。

斎藤：本書はマルサスの『人口論』の読み直しから始まっています。こ

＊3　Jason Hickel はイギリスの経済人類学者。「緑の成長」の実現可能性がほとんどないと指摘し、高所得国が社会的目標を達成するためには、経済成長ではなく、所得のより公平な分配、公共財の拡大、労働時間の短縮、公的雇用保証の導入が必要であると主張している。エスワティニ出身。１９８２年生。

＊4　Serge Latouche はフランスの政治経済学者、哲学者。19世紀以降に支配的となった、経済効率主義や経済合理主義、成長が経済に内在するという前提を批判する。『脱成長』（２０２０年）、『〈脱成長〉は、世界を変えられるか』（２０１３年）などが翻訳されている。１９４０年生。

れまでマルサスについては、人口増大は自然の限界を圧迫するので、禁欲など道徳的な手段で人口抑制を図らなければならないと主張した学者だと考えられてきました。この議論は、道徳的にではなく産児制限により人口を抑制すべきだという新マルサス主義へと発展した一方で、人口増加率よりも食料増産率が低いと、人口が増えると一人当たりの食料が減り貧困は免れえないという「マルサスの罠」という経済学上の命題にもつながりました。そして経済学分野では、産業革命や技術革新、あるいはイノベーションが「罠」を打ち破ったのかどうかという議論が続けられてきました。ローマ・クラブの『成長の限界』をめぐる論争は、まさにこのパラダイム上にあるわけです。

しかし、本書は、マルサスの原著と本人像に迫ることで、マルサス自身は経済成長に楽観的な見方をしていたこと、また、特にキリスト教のバックグラウンドから、人口増大についても歓迎していたことを示しています。つまり、マルサスの議論で重要なのは、人口問題そのものよりも、限界があるからこそ無限の成長が必要だという、現在までに至る経済学のものの見方を形づくったことだというのがカリスの指摘です。したがってマルサスを批判することは、現在の経済学の根本原理を批判し相対化するうえで重要な取り組みと言えます。

さらに、マルサスに対する批判は同時に、環境主義の刷新にもつながります。『成長の限界』のように、従来の環境主義は、地球の限界を外的なものとして置いています。限界があるからこれ以上の環境開発は不可能であり我慢するしかない、という環境主義の発想は、限界を他律的に見ている点で、マルサスと何ら変わりません。加えて、外的なものとして限界を捉えることは、限界をどう設定するか、あるいはいかに限界に抵触せず成長するかという方向に議論を促すため、科学技術志向になりやすく、専門家中心の議論となり、市民は置き去りにされがちです。そうではなくて、市民一人ひとりが主体的に自らを律するものとして限界を捉えることが、新しい民主的な環境主義を導く、と論じるのが本書の中心的な内容です。

自己制限のイメージ

ルプレヒト：自らを律するというと、どうしても禁欲的な、それこそマルサスのような道徳的な手段というニュアンスを感じるのですが。

斎藤：もちろんカリスが言う「自律」とは、ただ闇雲に我慢するということではありません。資本主義は本質的に無限成長を求め、決して満たされることがないので、自由に商品を選んでいるように見えても、実際には広告やモデルチェンジに振り回され、他律的な生き方を強いられているわけです。それに対して、市民がそのような資本の論理に抗《あらが》って、自ら限界を設定することは、無限の経済成長というプレッシャーに振り回されることをやめ、人間らしく生きるための手段なのです。また、その際には、何を限界として選択するのかを社会全体で考えることで、民主主義も育まれます。

もっとも、本書でカリスは限界を設定することがいかに人間らしさにつながるかという点について、これまでの通例であった南米の先住民などではなく、古代ギリシャを例にとって語るのですが、このあたりは私も含め、日本の読者にとってはややわかりにくい部分かもしれません。

ルプレヒト：私はドイツで育ったのですが、ヨーロッパでは古典としてギリシャについて学ぶので、この部分は非常に素直に理解することができました。古代ギリシャ哲学は「良き人生」について考えてきた学問ですし、古代のギリシャ哲学者と聞くと、満たされた、ニコニコしている幸せなおじいさんたちというイメージがすぐ思い浮かびます（笑）。「ユーダイモニア」という概念があるのですが、これは嬉しい感情の happiness を超えて、人間の繁栄を包括的に示す言葉として現代でも影響力のある言葉です。

それ以外にも、ひっかかる部分はありましたか。

斎藤：ある特定の制約について、それが本質的かそうでないのかを誰が決めるのでしょうか。自分ではない誰かが決めるのであれば、それは結局、見せかけの自律のもとでの強制になるのではないか——。こうした問いは、多くの読者が抱くところでしょう。残念ながら、本書にその明確な回答は記されていません。

もっとも、彼は自律的な限界《リミット》と対《つい》を成すものとして、他律的な傲慢《ヒュブリス》を想定しています。傲慢によって限界が乗り越えられ、また新たに限界が設定されるという、循環的あるいは弁証法的な構造です。このように動的に限界を位置づけることは、たとえば緑の独裁主義のような環境主義とは一線を画していると言えるでしょう。

限界と社会主義

斎藤：もう一つ、本書ではマルクス主義について、生産力主義であるとして批判的である点も気になります。しかし本書の原著出版以降のカリスらの論文などを見ていると、「成長なき社会主義（socialism without growth）」[*5]、「エコ社会主義的脱成長（eco-socialist degrowth）」[*6]などについても積極的に論じており、社会主義の環境主義的な側面に着目するようになってきているとは感じています。実際、彼が拠点を置くスペインでは、エコ社会主義が社会運動としても盛り上がっており[*7]、実践的な影響力もあると言えるでしょう。

＊5　カリスは2019年の論文で、経済成長は生態学的に持続不可能であり、それが資本主義的であろうと社会主義的であろうと違いはない、と主張している。Kallis, G., Socialism without growth. *Capitalism nature socialism*, 30（2）（2019）: 189-206.

＊6　エコ社会主義者は、生態系の崩壊を避けるために、生産と消費における脱成長が必要であることに同意している。ただし、エコ社会主義者の多くは、脱成長理論に対して批判的である。Löwy, M., Eco-socialism and/or De-growth, MRonline（2020）.〈mronline.org/2020/10/07/eco-socialism-and-or-de-growth/〉.

＊7　〈la-u.org/the-limits-to-growth-eco-socialism-or-barbarism/〉.

ルプレヒト：カリスも含むエコロジー経済学やポリティカル・エコロジーの研究者らが、共同で「地球の限界から社会の限界へ」[*8]という論文を2021年に発表していますが、これは本書を継承して発展させたものだと言えますね。また、最近出たばかりのカリスの別の論文[*9]では、ギリシャの脱成長的な島の暮らしを紹介しています。その意義について説明する前に、ヨーロッパにおけるギリシャのイメージをご紹介しましょう。ヨーロッパ、特にドイツなどでは、ギリシャに対して、国民全員が怠け者で働かないから、そのせいで経済が破綻して、EU全体に迷惑をかけているというような偏ったイメージがあります。そのため、カリスの新しい論文には、現代の社会経済システムに落伍した国に未来のヒントを見出すという含意もあります。このような視点は、本書にもある豊かさの問い直しであり、グローバルノースとサウスの緊張関係や、日本国内の都市と地方の格差などの問題にも、新しい視点を与えるのではないでしょうか。

　それから社会主義については、カリスは確かに強く推してはいませんが、限界を超えることは、資本主義ではどうやっても不可能だが、社会

*8　2009年に発表されたプラネタリー・バウンダリーの概念は地球環境問題の語彙や表現方法を大きく変えたが、同論文ではその長所と短所を社会科学の観点から明らかにしている。Brand, U., *et al.*, From planetary to societal boundaries: an argument for collectively defined self-limitation. *Sustainability: Science, practice and policy*, 17 (1) (2021): 264-291.

*9　Giorgos Kallis, Angelos Varvarousis, Panos Petridis, Southern thought, islandness and real-existing degrowth in the Mediterranean, *World Development*, 157 (2022).

主義のいくつかの点はそれに資すると言っているように思います。

日本の先行事例

田村典江（以下、田村）：エコ社会主義について、斎藤さんのご意見を伺いたいことがあります。私たちは総合地球環境学研究所FEASTプロジェクトという研究プロジェクトを母体として活動していたグループで、カリスや脱成長ムーブメントにも、環境科学や持続可能性科学という領域から出会いました。国際的に見て、今、それらの領域ではエコ社会主義の議論は避けて通れないだけの存在感があるのですが、日本ではほとんど話題になっていない感じがします。このギャップの理由はどこにあるのでしょうか。

斎藤：学問史的に言えば、英米圏では2000年前後にジョン・ベラミー・フォスター[*10]らによってエコ社会主義の再発見が起こりました。ところが日本ではすでに1980年代までに、同様の思想の隆盛があったの

＊10　John Bellamy Fosterは、アメリカ合衆国の社会学者。マルクス主義政治経済学、環境社会学を専門とし、『マルクスのエコロジー』（2004年）などが翻訳されている。1953年生。

です。具体的には公害問題との結びつきの中で、研究としても実践としても、エコ社会主義的な活動が盛んにおこなわれてきました。代表的な研究者として都留重人[*11]や宮本憲一[*12]などを挙げることができます。戦後日本のマルクス研究は欧米に比べて進んだ環境にあったため、フォスターらの議論がそれほど響かなかったわけです。

その結果、21世紀において環境やジェンダーの問題がここまで前面に出てくることを、日本の左派は見逃してしまいました。実際、日本ではマルクス主義の研究や実践において、それらの問題が置き去りになっている感があります。

田村：なるほど。私たちFEASTプロジェクトでは、持続可能な食農システムへの転換というテーマで研究をおこなっていたのですが[*13]、食と農の分野でもよく似た事例があります。日本では、消費者が生産者と直接提携して農産物の生産と販売をおこなう「産消提携」の仕組みが、1970年代から発達してきました。ほとんどの活動は、公害や農薬といった環境問題に関する危惧に端を発して、安心安全で公正な農産物取

＊11　都留重人（つるしげと）は、日本の経済学者。公害の政治経済学を提唱し、1971年に雑誌『公害研究』（現『環境と公害』）を創刊。1912年生、2006年没。

＊12　宮本憲一（みやもとけんいち）は、日本の経済学者。環境経済学の第一人者で、四日市や水俣の公害調査をおこなう他、自治体問題などの都市研究に取り組む。1930年生。

＊13　田村典江、クリストフ・ルプレヒト、スティーブン・マックグリービー編著『みんなでつくる「いただきます」』昭和堂、2021年。

引を求めて草の根の活動としておこなわれてきました。70年代後半から80年代にかけて全国的に隆盛したものの、様々な原因から、残念なことに現在は低迷傾向にあります。ところが、欧米では同様の仕組みが地域支援型農業（CSA：Community Supported Agriculture）として、21世紀の新たな仕組みとして脚光を浴びているのです。生協運動についても同様です。環境と社会に共通する問題や、それを乗り越えていく取り組みについて、日本には先駆的な多くの取り組みがあったのに、それが忘れられていることに問題意識を感じています。

ルプレヒト：日本には1970～80年代に優れた個別の取り組みがあったのに、なぜ全体として脱成長的な社会が形成されなかったのかという点は、日本の脱成長論にとって、検証すべき課題であるように思います。

斎藤：私も、かつてあった実践や運動と、欧米から新たに入ってきた最近の実践や運動とが断絶していることには問題意識をもっています。たとえばFridays For Future Japanに関わっている若者たちは、過去の公害反対運動の人たちとの交流はそれほど多くないでしょう。

欧米の脱成長ムーブメントでは、まさにカリスらの貢献によって、コルネリュウス・カストリアディス、アンドレ・ゴルツ[*14]、イヴァン・イリイチ[*15]など忘れられていた研究者の業績が掘り起こされ、再び読者が増えています。日本でも、脱成長的な議論を起こしていく中で、都留や宮本、宇沢弘文[*16]などをあらためて紹介していくことも重要かもしれません。

田村：そうですね。玉野井芳郎[*17]、槌田敦[*18]、室田武[*19]、多辺田政弘[*20]など、いわゆるエントロピー学派の人々の議論も、現代においていまだ新しさを失っていないと感じています。日本の若い世代に紹介するだけでなく、欧米圏にも日本の先行事例として発信していきたいです。

脱成長の誤解

ルプレヒト：欧米の脱成長ムーブメントでは、取り返しがつかなくなるところまで加速していく資本主義に対する緊急ブレーキとして脱成長が受けとめられています。この比喩は、現代の日本の市民にも受け入れや

＊14　André Gorz は、オーストリア、フランスの思想家、ジャーナリスト。1970年代以降にポリティカル・エコロジーを主張し、資本主義的合理性とも独裁的社会主義とも異なる「社会的個人」を基礎とする共同体を志向する。『労働のメタモルフォーズ』（1997年）などの翻訳がある。1923年生、2007年没。

＊15　Ivan Illich は、哲学者、歴史家。学校、病院、交通手段、賃労働、性役割などの社会制度が、一面では人々の活動を財・サービスの依存的な消費へと変え、価値の尺度を希少性で計るように仕向けてしまうことを指摘する。『コンヴィヴィアリティのための道具』（2015年）などの翻訳がある。1926年生、2002年没。

＊16　宇沢弘文（うざわひろふみ）は、日本の経済学者。自然環境や医療、福祉、教育などの「社会的共通資本」の

すいのではないでしょうか。一方で、本書全体を通じて、日本の読者が特に注意すべきと思われる部分はありましたか。

斎藤：自律をもって無限の成長欲求を制限しようと言うと、日本ではどうしても、直感的に仏教の連想が働いて、禁欲を呼びかけているように捉えられるのではないか、という点が気になります。日本の文脈では、物質的でない精神的な豊かさというと、仏教や僧侶のイメージが連想されがちです。そのため、修行僧のように禁欲的に暮らすべし、と要請されているという誤解を生みそうです。これが、日本で脱成長論がいまいち流行らない理由の一つなのかもしれません。もう少し柔らかい連想が働くようにしたいのですが。

ルプレヒト：実は本書で語られる古代ギリシャは、ヨーロッパ人にとって、おっしゃるような柔らかい連想を引き起こすのにちょうどいい存在なんです。ギリシャの哲学というと「足るを知る」「自己充足」と同時に「良き人生」がテーマであるとすぐに理解できるので。そういう、小さいけれど幸せな暮らしの表象は、日本では何になるんでしょうね。禅

理論的探究に取り組む。著書に『自動車の社会的費用』（1974年）など。1928年生、2014年没。

＊17　玉野井芳郎（たまのいよしろう）は、日本の経済学者。日本の地域主義を理論的に支えるとともに、1983年の「エントロピー学会」結成に大きな役割を果たした。著書に『地域分権の思想』（1974年）など。1918年生、1985年没。

＊18　槌田敦（つちだあつし）は、日本の物理学者。石油や原子力に依存する現代文明を批判し、反核・反原発を主張。人為的要因による地球温暖化に対しては懐疑的な立場をとる。1933年生。

＊19　室田武（むろたたけし）は、日本の経済学者。資源・環境問題を研究。著書に『水土の経済学』（1982年）、『電力自由化の経済学』（1993年）など。1943年生、2019年没。

とかではないわけですね。

小林舞（以下、小林）：「足るを知る」は老子の思想から来ていますが、むしろ「となりのトトロ」や「風の谷のナウシカ」のようなジブリ作品に描かれる風景や世界観などのほうが、違う豊かさがある、違う豊かさを求めている、という意味では、現代の日本の読者にとってはイメージしやすいかもしれません。カリスのまえがきにもあるように、海外から見ると、日本こそ節度を知り、質素さを美しいと感じる精神をもつ文化としてのイメージが強いですよね。数十年間、経済成長をしていない日本にこそ脱成長のヒントがあると見ています。

ルプレヒト：内閣府の「国民生活に関する世論調査」[*21]では、「これからは物の豊かさより心の豊かさだ」とする回答が6割を超えています。精神的に満ち足りた暮らしへの思いは、社会に強くあると思うのですが。

斎藤：カリス自身は決して、極端な自然回帰や〝昔の暮らしに戻る〟といった選択を勧めているわけではありません。むしろ、そういう選択が

＊20　多辺田政弘（たべたまさひろ）は、日本の経済学者。地域自給を研究。著書に『コモンズの経済学』（１９９０年）など。１９４６年生。故人。

＊21　〈survey.gov-online.go.jp/r01/r01-life/zh/z21-2.html〉.

できる立場にみんながあるわけではない、と論じています。『なぜ、脱成長なのか』では、「ユニバーサル・ケア・インカム」や「成長なきグリーン・ニューディール」など、格差をなくすためのシステム転換についても論じています。そのうえで、カリスが語る豊かな暮らしというのは、現状の日常生活の中で、ボランティア活動をするとか、家庭菜園で自分の食べ物をつくるとか、消費主義社会から抜け出す要素を取り入れた豊かさなのだと思います。

ルプレヒト：そうですね。脱成長をめざす動きは、決して、「経済成長をどれだけ否定できるか」の純粋さを競うコンテストではありませんし、そのように誤解されることがあってはいけないと思います。そもそもカリスは、たとえば地方に完全移住したり、完全自給自足の暮らしに切り替えたりなどの極端な選択によって、自ら限界の内に留まる生活を選択できる人は、特権的な立場にあるとも論じています。日常生活を限界の内に留められるかどうかは、個人の選択ではなく、社会の構造にかかっているという指摘です。社会の構造、あるいは連携・連帯の重要性が浮かび上がります。

アクションと社会構造

太田和彦（以下、太田）：「日常生活を限界の内に留められるかどうかは、個人の選択のみによらない」という点を強調することは重要だと感じています。ふだん、大学の講義などで脱成長の議論について紹介すると、学生から「では、脱成長のために、個人で今すぐにできることは何ですか」と問われることが少なくありません。もちろん、具体的な取り組みの模索は大歓迎なのですが、その取り組みの仕方が「個人で今すぐにできること」に閉じてしまう傾向があることに気づかされます。これは日本でSDGsが、従来の制度への介入・変更のための活動ではなく、節電・節水や、マイボトルを持ち歩く、認証マーク入りの商品を購入するといった「個人で今すぐにできること」に偏りがちなこととも関係しているかもしれません。

小林：それは日本だけではないと思います。個人の責任と思わせることは、資本主義社会の典型的な思考のパターンとも言えるように思います。

太田：そうかもしれませんね。個人として手軽にできるアクションをとることで、何かをした気になってしまいがちであること、その弊害については、斎藤さんが『人新世の「資本論」』[*22]の序章で「免罪符」という言葉で指摘している通りです。

個々人の能動性や選択の効果を過大評価してこの問題に取り組もうとすると、「修行僧のように禁欲的に暮らすべし」や「個人で今すぐにできること」の隘路《あいろ》にはまってしまいます。また、お互いがお互いを常に監視し合う五人組のような息苦しさも避けたい。カリスの論調は、どれとも違うものです。

田村：私たちは環境科学のある国際学会で、基調講演者としてカリスに出会い、その後もいくつかの学会等に参加する過程で、彼とヨーロッパの脱成長研究コミュニティと親しくなりました。

＊22　斎藤幸平『人新世の「資本論」』集英社、2020年。

ルプレヒト：彼を日本に招きたいとずっと話していたんですよね。あいにく新型コロナもあって実際には叶っていませんが、私たちが企画したオンライン国際シンポジウム[*23]に登壇してもらうことはできました。

田村：ある意味、私たちはカリスのファンなんです（笑）。というのも、彼の講演や著作は本当にわかりやすい。学術的にきちんとした内容でありつつ、語り口が常にスムーズであり、また、情熱的というか、強く伝わる思いを感じます。でもそれだけではなくて、彼のメッセージは、現代の日本の社会状況に非常に時宜を得たものであると思います。『なぜ、脱成長なのか』に続いて、本書がこのたび翻訳出版されたことで、ぜひ日本でも多くの方に手に取っていただき、脱成長に思いを馳せていただきたいと思っています。

斎藤：私も、カリスの著作は、他の脱成長論者の著作と比べても、非常に読みやすいと感じます。みなさんがカリスに感じられたような共感や共鳴が、本書を通じて、多くの日本の読者にも届くと期待します。

＊23　総合地球環境学研究所が2021年1月に主催した国際シンポジウム「Transitioning Cultures of Everyday Food Consumption and Production: Stories from a Post-growth Future」。カリスの基調講演は下記から視聴可能。〈youtube.com/watch?v=_As5pMeGYC8〉.

監訳者

小林 舞（こばやし・まい）

1983年生まれ。京都大学特定助教。専門は環境社会学、農村社会学、アグロエコロジーの実践。著書に *Zachum Feast Gochisou*：*Life around the Bhutanese plate*（自費出版）ほか。

太田和彦（おおた・かずひこ）

1985年生まれ。南山大学准教授。専門は食農倫理学。訳書にポール・B・トンプソン『〈土〉という精神』（農林統計出版）、『食農倫理学の長い旅』（勁草書房）ほか。

田村典江（たむら・のりえ）

1975年生まれ。事業構想大学院大学専任講師。専門はコモンズ論、小規模な農林漁業の実践。共編著に『人新世の脱〈健康〉』（昭和堂）、『タネとヒト』（農文協）ほか。

訳者

小林正佳（こばやし・まさよし）

1946年生まれ。元・天理大学教授。著書に『踊と身体の回路』（青弓社）、訳書にジェイムズ・プロセック『ウナギと人間』（築地書館）、ジェームズ・ヒューストン『北極で暮らした日々』（どうぶつ社）ほか。

解説者

斎藤幸平（さいとう・こうへい）

1987年生まれ。東京大学准教授。専門は経済思想・社会思想。著書に『人新世の「資本論」』（集英社新書）ほか。

FEAST（フィースト）

脱成長に取り組む、アジアにおける持続可能なフードシステムへの転換を支援する一般社団法人。小林舞、太田和彦、田村典江、Christoph D. D. Rupprecht（クリストフ・ルプレヒト、本プロジェクト PM）、Steven R. McGreevy（スティーブン・R・マックグリービー）、真貝理香（しんかい・りか）、Maximilian Spiegelberg（マキシミリアン・シュピーゲルバーグ）の７人。共編著に『みんなでつくる「いただきます」』（昭和堂）
https：//www.feastproject.org/

著者
ヨルゴス・カリス（Giorgos Kallis）
1972年ギリシャ生まれ。スペインのバルセロナ自治大学環境科学技術研究所ICREA教授。専門は生態経済学と政治生態学。脱成長論を国際的にリードする研究者の一人。日本語訳のある著書に、『なぜ、脱成長なのか——分断・格差・気候変動を乗り越える』（共著、NHK出版）がある。

装丁　宮川和夫

本プロジェクトは総合地球環境学研究所FEASTの助成（14200116）を受けて行われた。

LIMITS《リミッツ》——脱成長《だつせいちょう》から生《う》まれる自由《じゆう》

2022年8月22日　第1刷発行

定価はカバーに表示してあります

著　者　ヨルゴス・カリス
発行者　中　川　進

〒113-0033　東京都文京区本郷2-27-16

発行所　株式会社　大　月　書　店

印刷　太平印刷社
製本　ブロケード

電話（代表）03-3813-4651　FAX 03-3813-4656　振替00130-7-16387
http://www.otsukishoten.co.jp/

ISBN978-4-272-11128-2　C0033　　Printed in Japan